VIVRE
LE QUÉBEC LIBRE

GUIDE DE SURVIE des Européens au Québec

R41dh

AG
SERENDIPITY
CE

Hubert Mansion

Catalogage avant publication de Bibliothèque et Archives Canada
Mansion, Hubert, 1960-
Vivre le Québec libre: Guide de survie des Européens au Québec
Comprend des réf. bibliogr.
ISBN 2-923175-01-8
1. Québec (Province) - Guides. 2. Québec (Province) - Mœurs et coutumes - 21ᵉ siècle - Humour.
3. Européens - Québec (Province) - Humour. I. Titre.
FC2907.M36 2006   971.4'05   C2005-942315-3

Du même auteur
Guide de survie des Européens à Montréal, Agence Serendipity, 2003.
Tout le monde vous dira non, Stanké, 2005.

Crédits
Couverture: Atoll Direction Inc.
Infographie: Bruno Ricca
Correction: Michèle Leymarie

Remerciements
À Christine Ouin et Marc Britan, Alfreda Beaudouin, Suzanne et Paul Cloutier, Steve Donovan,
Gilbert Côté, Lise Bisson, Louis Senay, Jean Arsenault, Dave Levesque, Anne Kinart, Dominique
Gérard, Joël Gaignard, Sophie d'Hugues, Geneviève Mansion, Marie-Noëlle Bouzet, Jean-Guy
Laflamme du ministère des Ressources naturelles et de la Faune. Et enfin merci à Rachel, qui a
organisé mes départs, fêté mes retours, et sans qui j'aurais perdu le nord.

Bureau
Agence Serendipity Inc.: 5215 Victoria suite 16, Montréal H3W 2N8
(514) 735 9487, info@agenceserendipity.com, www.agenceserendipity.com
Pour contacter l'auteur: hubertmansion@agenceserendipity.com

Distribution
Canada: Les Guides de voyage Ulysse, 4176, rue Saint-Denis, Montréal (Québec), H2W 2M5
1-514-843-9882, poste 2232, 1-800-748-9171, info@ulysse.ca, www.guidesulysse.com
France: Interforum, 3, allée de la Seine, 94854 Ivry-sur-Seine Cedex, 01 49 59 10 10
Belgique: Presses de Belgique, 117, boulevard de l'Europe, 1301 Wavre, (010) 42 03 30
Suisse: Havas Services Suisse, (26) 460 80 60
Pour tout autre pays, contactez les Guides de voyage Ulysse (Montréal).

Dépôt légal: 1ᵉʳ trimestre 2006

À la tourterelle du Canada
avec toutes mes excuses.

Table des matières

SI LA TERRE EST RONDE...

La première fois que j'ai entendu parler du Québec, j'avais une dizaine d'années et mon père était furieux. Mon frère aîné, Jean-Baptiste, venait en effet de lui écrire de Montréal qu'il comptait se marier avec une fille rencontrée à la faculté d'anthropologie, et dont il nous faisait des descriptions télégraphiques dans des cartes postales. Jean-Baptiste changea subitement d'avis, revint seul quelques mois plus tard, et fit des massages à tout le monde. Il disait qu'au Québec, les gens s'invitaient mutuellement et se massaient à tour de rôle. Mon père trouvait cette pratique étrange, mais elle eut l'avantage de faire venir à la maison une foule de jolies filles qui montaient immédiatement dans la chambre de mon frère, puis en descendaient avec une joie pétillante dont il faut absolument que je lui demande la cause exacte tout à l'heure.

À moi en tous cas, il ne parlait que de castors et m'apporta des livres de Grey Owl que je dévorai les uns après les autres. Quand je m'endormais en refermant ces ouvrages, je songeais au Québec en tentant d'intégrer l'histoire des massages dans la cabane des castors, et j'avais un peu de mal.

Un ou deux ans plus tard, Alec, un autre de mes frères, s'envola de Belgique pour Montréal dans le contexte d'une histoire d'amour difficile comme seule ma famille sait les compliquer. Il y donna des concerts et revint en nous expliquant qu'au Québec les chanteurs chantaient réellement à la télévision, qu'on disait «endisquer» pour enregistrer, et qu'il avait écrit une chanson pour une Indienne. Aux massages des castors, s'ajoutait maintenant l'endisquage des Indiens chantant *live* à la télévision, c'était à n'y rien comprendre. Cependant Alec confirma les massages rapportés par Jean-Baptiste sans dire un mot sur les castors, alors que ma tante Suzanne, revenant presque en même temps du Québec où elle était allée enseigner Aristote, me rapporta un chapeau de raton laveur et organisa une projection familiale de diapositives où je ne vis que d'impressionnants buildings. L'affaire devenant vraiment trop complexe, je commençai à m'intéresser au Sahara car l'un de nos voisins venait de s'acheter une Land Rover.

C'est alors qu'un soir des années soixante-dix, on sonna à la porte: c'était deux Québécois auxquels Alec avait donné rendez-vous, dont la fameuse Indienne qui endisquait en *live*. Ce fut un choc. Non pas à cause de leur accent, ni en raison de leurs mots bizarres, car mes frères avaient passé deux ans à les imiter en répétant tous les matins «c'est ben ben l'fun». Non, ce qui m'étonna le plus est ce qui m'étonne encore: leur joie de vivre.

Car pour moi, une chose est absolument certaine: le Québec déborde d'énergie vitale. Je n'ai jamais rencontré de pays ni de gens si pleins de vie. Les Québécois sont infiniment plus heureux au quotidien que la plupart des Européens. Ils ont beau se raconter une histoire mythique, faite d'abandon français, de misères anglaises et d'oppression nationale que je vais massacrer dans les pages qui suivent, je les tiens pour le peuple le moins déprimé de la terre. Je sais qu'on va me répondre en terme de suicide, de décrochage scolaire et m'assommer de statistiques; mais cela ne me fera pas changer d'avis, car on peut être malheureux, furieux, désespéré, sans être déprimé. C'est même beaucoup plus dangereux.

D'où vient ce surcroît d'énergie? Je n'ai aucune explication, je n'ai que des preuves. Ce pays dispose d'une puissance d'attraction immense sur le vivant. Qu'il s'agisse de monarques, de saumons, de baleines, de colibris, de Français, de grues, de Belges, d'oies des neiges, de Chinois ou de mes deux frères, des centaines de millions d'individus se rejoignent tous, à un moment, au Canada et au Québec pour y chercher la même chose, cette vitalité surabondante qui a guéri tant d'Européens du mal de vivre.

C'est pourquoi, quand on me demande pourquoi je suis ici, je réponds: parce qu'il fallait simplement que j'y sois, comme tous les autres immigrants qui s'y trouvent. À commencer par les Québécois eux-mêmes.

Oui, bien sûr, les Québécois sont fils d'immigrants et une sorte de conflit de générations nous empêche parfois de nous comprendre. Les Amérindiens ne sont pas davantage ici de génération spontanée, mais viennent également d'ailleurs. Il en est de même des Inuits et l'on a pu établir, par exemple, que leur mot «ange-khut» (désignant le champignon) vient du sumérien «agan», apparu il y a trois millions et demi d'années en Mésopotamie: si la Terre est ronde, c'est afin que personne ne reste dans son coin.

Aussi, personne ne devrait se sentir exotique nulle part. Et pourtant, pour tout immigrant quelconque, c'est bien le sentiment d'étrangeté qui prédomine. L'autre est toujours étrange; mais quand on s'installe ailleurs, c'est soi qui devient l'autre. Ce sentiment conduit d'abord à remettre en question les gestes quotidiens, tels que brancher son ordinateur dans une prise américaine, confondre l'embrayage et la pédale de frein, calculer secrètement les taxes, problématiques pour lesquelles j'avais jugé nécessaire d'écrire le *Guide de Survie des Européens à Montréal*.

Mais ensuite il faut comprendre ce que personne ne nous explique jamais, et nous sommes obligés de le faire tout seul par essais et erreurs. Les Québécois, bien sûr, n'ont aucune idée de nos tâtonnements, pas plus que les Français ne peuvent imaginer leur stupéfaction en France. Les pages qui suivent n'ont d'ailleurs pas plus de prétention qu'un mode d'emploi d'Ikéa: on a les grandes idées, mais il faut quand même tout faire soi-même.

COMPRENDRE LES QUÉBÉCOIS

Les Québécois sont des latins britanniques qui font la file indienne en donnant des droits scandinaves à leurs femmes: c'est un principe de base à comprendre. Ils éprouvent beaucoup de difficultés à dire les choses, mais aucune à les crier, et encore moins à les chanter: c'est une règle pratique. Persuadés que les Anglais les ont oppressés, affamés et méprisés, ils dirigent néanmoins le Canada et une Québécoise représente fièrement la Reine d'Angleterre: n'est-ce pas la moindre des choses? Ayant enfin construit leur sentiment national sur l'époque dorée de leur appartenance à la France, ils détestent les Français: quoi de plus normal?

Colons depuis des siècles, ils se prennent pour des colonisés; gouvernés à gauche, ils pensent à droite; amoureux des animaux, ils menottent leurs chiens aussitôt qu'ils les sortent; défenseurs du français, ils le massacrent. Ils se plaignent des impôts en attendant des subventions, ils ignorent leur histoire en assurant qu'ils se souviennent, et, pour la géographie, le Québec se vend à l'étranger comme le pays des grands espaces, mais ne supporte pas que l'étranger l'assimile au pays des grands espaces. Leur révolution nationale a été tellement tranquille que personne n'est capable de dire où elle s'est passée, ils se sentent coupables de leurs ambitions, ils déclarent leur attachement viscéral au Québec en direct de Las Vegas et ils adorent ce qui les déprime.

M'accusera-t-on d'exagérer? «Le tempérament québécois, dit Jacques Bouchard, est fait à 70% d'américanité, à 15% de nordicité et à 15% de latinité» tandis qu'un sociologue résume l'identité québécoise à Québec = – France + Grande-Bretagne + USA – Rome + Canada, c'est-à-dire moins de France qu'on ne croit, plus d'Angleterre qu'on ne pense, plus d'américanité qu'on ne dit, moins d'influence catholique et plus de ressemblance avec le Canada qu'ils ne le voudraient, ce qui se résume à[1]

$$Q = -F + GB + (USA) - R + C^2$$

mais l'on pourrait aussi dire que:

$$Q = \frac{(\sqrt{F \times USA}) + GB}{C}$$

C'est-à-dire que le Québec est une racine française multipliée par l'Amérique additionnée de britannicité et divisée par le Canada: quand on doit mettre un peuple en équation pour le comprendre encore moins, peut-on me dire comment il faut décrire les Québécois aux nouveaux arrivants?

Et quels Québécois? Ceux de la capitale? Mais où est la capitale réelle du Québec, à Montréal ou à Québec? Les gens de Québec sont plus provinciaux que ceux de la métropole, tandis que les Montréalais n'ont peut-être plus rien de québécois. Comment définir la «nation québécoise» alors que «il n'y a plus aujourd'hui un historien sérieux, sauf peut-être aux USA, pour croire à ces balivernes d'archétype national unique coulé dans le bronze» dit Emmanuel Le Roy Ladurie?

La définit-on, cette «nation québécoise», par la race? Quelle est la différence de «race» entre un Québécois et un Ontarien? Par la langue? En quoi l'Angleterre et les États-Unis qui parlent la même langue, formeraient-ils une nation? Et au contraire, comment les Belges pourraient-ils former une nation, quand disposant de trois langues nationales, ils en utilisent une quatrième, l'anglais, pour se comprendre? Enfin, de très nombreux anglophones sont aussi québécois que Réjean Tremblay.

Le Québec se définit-il par la géographie et les «frontières naturelles»? En quoi un fleuve, qui est un lieu de réunion, serait-il une frontière? D'ailleurs quelle frontière le Saint-Laurent marquerait-

1 LAMONDE Y., *Allégeances et dépendances, l'histoire d'une ambivalence identitaire*, Éditions Nota Bene, 2001.

il au Québec, puisque des Québécois y habitent sur la droite, la gauche, au sommet et en bas? Par ses origines? Lesquelles? Dit-on que la Colombie-Britannique, qui fait penser à l'Amérique du Sud en Angleterre, est maintenant une nation asiatique?

Un Canadien séparatiste? Les Québécois eux-mêmes sont séparés sur la question du séparatisme avec une préférence pour le «non». Certains me rétorqueront que si ni la politique, ni la géographie, ni la langue, ni les origines ne permettent d'identifier les Québécois, c'est qu'en réalité l'ensemble de ces facteurs les décrit: voilà qui est encore plus clair.

Quoi d'autre? À la fin, à quoi reconnaît-on un Québécois? Sa chevelure? Car on peut classer les gens par leurs chevelures, comme les papillons par leurs ailes. J'ai catalogué l'Abitibien, reconnaissable à ses longs cheveux ramenés en queue de cheval et à sa barbiche. Les membres de cette tribu, dont j'ai repéré trois exemplaires en cinq ans, ont l'air méchant, d'autant que, souvent chanteurs, ils chantent très fort avec un air furieux. Néanmoins, si on les écoute au lieu de se fixer bêtement sur leur toison, on devine qu'ils cachent un cœur brisé sous des poils abondants. Ils demandent pardon, ils s'excusent, ils regrettent, ils jurent de ne plus. Mais de tempérament sanguin, l'Abitibien ne peut jamais s'empêcher de recommencer de plus belle: et l'Abitibienne le sait. De leurs relations tendues naissent de brûlantes retrouvailles et des morsures d'oreilles. Ils font l'amour dans la nature, se griffent sur la mousse, se lavent dans les lacs et se sèchent jambes écartées au soleil.

Le type Taras Boulba, encore plus angoissant, n'a carrément aucun cheveu sur la tête parce qu'il la rase. Mais son système pileux, entièrement pourchassé sur la surface de son corps, se venge dans sa moustache. Il ne chante pas et ne parle pas davantage. Mais il joue au billard. Plaçant sa méticulosité dans son épilation, il ne lui en reste plus pour ses manières: c'est un homme, et souvent un enfant que personne n'a aimé et il casse tout parce qu'on l'a brisé; le BD-Techno, aux petits cheveux drus dressés sur la tête maintenus par du «fixatif» (de la laque), très intéressé par les jeux vidéo et Bill Gates; le *squeegie*, qui n'a pas un balle mais des plans incroyables avec un coiffeur. Bon, j'en suis à classifier les Québécois par leurs mèches, je deviens stupide, *Le Devoir* va me faire la leçon.

Mais celui qui se balade en short et en chaussettes dans ses sandales au mois de mai, celui qui a décidé hier soir qu'il allait «crisser son camp» vers l'Ouest; celui qui chante *Quand les hommes vivront d'amour* aussitôt qu'il a bu une bière, celui qui ne supporte pas qu'on lui donne des ordres et n'en donne jamais à personne: Paul, Jean, Pierre, Georges, Gilles, Richard, je vous aime. Car je ne trouve qu'en vous cet individualisme libertaire haïssant le pouvoir de l'État, fier de ses traditions, cultivé jusqu'aux os, allant où il le veut et ayant été loin, conquérant de l'Amérique et sachant tout faire[2]. J'admire votre courage, votre honnêteté, votre indépendance: il me semble que ces trois mots, définissant l'être humain dans ce qu'il peut être plutôt que dans ce qu'il devrait faire, lui permettent de vivre d'espoir plutôt que de souvenirs. Oui, c'est le Canadien français que j'aime dans le Québécois.

2 LEMIEUX P., « Être Québécois c'est être étatiste avant tout », *Le Devoir*, 3 mai 1999 et www.pierrelemieux.org.

Mythes fondateurs

Les mythes nationaux du Québec sont pleins d'espoir, d'optimisme et de joie de vivre.

AURORE ENFANT-MARTYRE : la petite Aurore Gagnon est tant maltraitée par sa belle-mère qu'elle décède de la suite de ses blessures, le 12 février 1920. La belle-mère échappe de justesse à la pendaison car elle est enceinte de jumeaux et le père sort de derrière les barreaux cinq ans plus tard.

Ce drame a été décrit dans cinq pièces de théâtre, cinq récits, un téléfilm et deux films. Le centre d'interprétation de Fortierville (entre Québec et Trois-Rivières) le raconte encore. La maison de ces atrocités toujours habitée par des Gagnon (aucun rapport avec les meurtriers) ne se visite heureusement pas.

MARIA CHAPDELAINE : de Louis Hémond, un Breton perdu à Péribonka (Lac Saint-Jean). Le roman a d'abord été publié en feuilleton à Paris, puis à Montréal en 1916. Maria doit choisir entre deux maris : soit Ephrem Surprenant, soit Eutrope Gagnon. Surprenant fait miroiter le rêve américain tandis qu'Eutrope incarne les valeurs traditionnelles du terroir. Qui gagne ? Gagnon. Musée Louis-Hémond, Péribonka, 418-374-2516.

UN HOMME ET SON PÉCHÉ : Séraphin, avare et maire, achète à son père, ruiné et dépressif, sa jeune future épouse. Celle-ci meurt de désespoir car elle en aime un autre sans le sou, tandis que son mari, Séraphin, meurt également, mais dans un incendie. Bref tout le monde est mort et on a payé 15 dollars pour voir le film. Claude-Henri Grignon, auteur de ce roman inspiré de plusieurs histoires véritables, est né à Sainte-Adèle. Le Village de Séraphin y a été reconstitué pour les touristes.

LES PLAINES D'ABRAHAM: des centaines de milliers de Québécois célèbrent la fête nationale du Québec sur les lieux où ils ont perdu en 20 minutes la plus importante bataille de leur histoire: c'est un peu comme si la famille royale française buvait le champagne le 14 juillet en entonnant La Marseillaise.

LISETTE ET SA PATENTE: Une jeune fille naît handicapée au sein d'une famille pauvre dans une chaumière du lac Saint-Jean, où il n'existe aucune possibilité d'ouvrir la fenêtre alors que Lisette, car c'est son nom, souffrant de tuberculose, a besoin d'air pur: hélas, sans fenêtre dans la pauvre chaumière, ça commence très mal.

Comme ses parents ne disposent pas des moyens de la soigner, ils la vendent à un pharmacien anglais, contre de l'arsenic destiné à empoisonner leur voisin parisien qui habite à 50 kilomètres, et dont ils convoitent la vache cancéreuse (mais comme dit le père à la mère en la regardant bizarrement: «il doit y avoir le pis de bon, on pourra faire des tartines»).

Le pharmacien anglais pratique sur la jeune fille différentes expériences (arrachage de langue, lacération et éviscération) dans un but sexuel, jusqu'au moment où le voisin parisien, qui revient d'un enterrement, le surprend.

Rendu sourd par le poison, mais toujours vivant car l'arsenic était périmé, le voisin tombe éperdument amoureux de la jeune fille devenue forcément muette à cause de l'arrachage de langue. Cependant, celle-ci préfère dans son cœur Réjean qui, étant curé du village et pédophile, s'est caché dans le bois avec un acolyte. Lisette ne le sait pas et le film se termine, plein d'espoir, quand elle part à sa recherche, pieds nus dans la neige.

La chanson du générique est interprétée en duo par Isabelle Boulay et un jeune autiste et les profits sont versés à Enfants Dépressifs, moins 70% de frais d'emballage et de suivi téléphonique. Une grande leçon d'optimisme comme seul le cinéma québécois peut en donner.

GÉOGRAPHIE DU QUÉBEC
POUR LES IMMIGRANTS

– Luc, prenez l'index de Françoise et placez-le ici.

À Paris, ils m'avaient demandé de les aider dans leur installation au Québec et je les avais rejoints à leur arrivée, accompagné d'une carte pour commencer par le début.

– Vous voyez le Saint-Laurent ? On l'appelle ici le fleuve «puissant et majestueux». Quatre-vingt pour cent des Québécois habitent sur ses rives.
– Avec les Québécoises, évidemment ? demanda Luc.
– Avec 80 % des Québécoises. Maintenez l'index de Françoise sur Montréal (je me permettais ces familiarités car ils venaient de se marier) puis remontez lentement.
– Je ne te fais pas mal, Françoise ? s'inquiéta Luc.
– Continuez, montez encore un peu… Voilà ! Vous êtes à Québec. À vol de doigt, cela semble proche, mais en voiture il faut trois heures. En continuant sur la même rive, qu'on appelle la rive Nord du fleuve puissant et majestueux, parce qu'elle est au-dessus de l'autre (qu'on appelle alors la rive Sud), on arrive à Tadoussac, où se trouvent énormément de magasins de souvenirs, puis à Baie-Comeau, Sept-Îles, Natashquan, patrie de Gilles Vigneault toujours hilare, et enfin à Blanc-Sablon. À partir de là, on sort du Québec en raison d'une décision anglaise de 1927 que le gouvernement québécois ni moi n'avons jamais reconnue, à savoir la soustraction du Labrador. Toute cette région s'appelle *grosso modo* la Côte-Nord, à ne pas confondre avec le Nord Québécois (qui se trouve plus à l'ouest).

- Est-ce là qu'on voit des baleines? demanda Luc en lâchant l'index de Françoise qui en profita pour redescendre immédiatement à Montréal, car ils n'avaient pas encore trouvé d'appartement.
- Plus ou moins. Françoise, prenez maintenant l'index de Luc.

Elle l'attrapa dans le nord, et en le serrant très fort, le plongea sur Montréal.

- De l'autre côté du fleuve puissant et majestueux, c'est la rive Sud. Après Longueuil, on arrive à Lévis, à peu près en face de Québec. En montant toujours, on trouve la Gaspésie qui est une péninsule. Au bout de cette péninsule, Percé, charmant village dont le maire est Français. À Percé, se trouve le rocher Percé, un genre de falaise d'Étretat. Vous pouvez lâcher le doigt de Luc, dis-je à Françoise. On a fini.

- Il faudra qu'on aille voir ça en été, qu'en penses-tu Françoise?

Mais Françoise tenait fermement à trouver un appartement avant la fin du mois, et ne lâchait pas l'index de son mari qui continuait à se pencher sur la carte. Il en voulait plus.

- Au dessus de Montréal, ce sont les Laurentides, terre de forêts et de lacs. Plus haut, la Mauricie, le Saguenay-Lac-Saint-Jean et la Baie-James, terres de forêts et de lacs. À gauche de Montréal, l'Outaouais et un peu plus haut l'Abitibi, terres de forêts et de lacs. Après on entre en Ontario. Enfin, au dessous de Montréal, la Montérégie et les Cantons de l'Est.
- Donc pour résumer, fit Luc... Françoise, tu peux me lâcher l'index s'il te plaît... Merci. Donc pour résumer, on peut dire que: petit a) il existe d'autres villes que Montréal et Québec, petit b) la région appelée Centre-du-Québec se trouve au Sud, petit c) l'île Ronde n'est pas une île, petit d) les Cantons de l'Est se

trouvent au Sud, petit e) la 15 Nord ne conduit pas au nord du Québec?

– Exactement. J'ajoute que le territoire continue vers le grand Nord, et que dès lors, en raison du réchauffement climatique, on peut affirmer que le Québec fond. Ceci n'empêche que sa superficie peut encore contenir l'Allemagne, la France, la Belgique, la Suisse, l'Espagne et le Portugal.

– Le grand Nord… On devrait y aller pour Noël, qu'en penses-tu Françoise?

Elle reprit son index.

– Est-ce vrai que les Esquimaux…

– Luc, on t'a dit que c'est vexant, les Esquimaux. On dit les Inuits maintenant. En tous cas, monsieur Mansion, on vous remercie infiniment pour cette explication, maintenant on a beaucoup mieux compris où on est. Est-ce qu'il y a un métro quelque part? Je dois donner quelques coups de téléphone.

– Mais prends mon portable, Françoise, ils l'ont activé cette nuit. Je voudrais encore savoir quelques trucs. C'est important de bien découvrir le pays, reprit Luc, penché sur la carte. Tiens! Une ville qui s'appelle Chambord, dans le Nord. C'est là qu'on s'est marié! fit-il pour l'attendrir. Monsieur Mansion, vous ne nous avez pas parlé du climat. Il paraît que c'est terrible en hiver mais vous dites dans le *Guide de Survie des Européens à Montréal* que c'est très supportable, en fait. Il paraît que les molécules d'air…

– Ah non! tu ne vas pas recommencer avec tes molécules d'air! Il n'a pas arrêté de me parler de ça dans l'avion, dit Françoise avec cet air pincé des Parisiennes exaspérées. L'avion tient en l'air grâce aux molécules d'air, les trous d'air sont des molécules ceci ou cela. Est-ce qu'on y va, là? On a un million de choses à faire…

Je l'interrompis car je n'avais pas dit l'essentiel.

– Si vous regardez encore la carte, vous constatez que d'innombrables villes et villages portent des noms français (Chambord, Verdun, Soissons, Dieppe, Ivry, Montpellier), belges (Waterloo, Namur, Liège), italiens (Milan, Padoue) ou suisses (Genève). D'autres sont typiquement québécois, dont le village Cœur-Très-Pur-de-la-Bienheureuse-Vierge-Marie-de-Plaisance (comment appelle-t-on ses habitants?) Ailleurs, les Québécois ont inventé des saints pour adapter au français des termes indiens (dans le Nord, la rivière Ashuapmushuan a été baptisée la Saint-Machoine, le lieu dit Sartigan, Saint-Igan) ou anglais (Somerset devenant Saint-Morisette). Heureusement des centaines de milliers de lacs n'ont aucun nom tandis que d'autres portent des appellations telles que Lac J'en-Peux-Plus, Lac-à-ma-femme, ou Lac Mouillé. En d'autres termes, l'histoire du Québec et une partie de sa psychologie se retrouvent dans sa géographie.

– En somme, dit Luc, nous nous inscrivons dans un courant historique, celui de l'immigration séculaire des Européens vers l'Amérique. Je trouve ça impressionnant. On devrait se faire photographier près des pancartes de ces villages et les envoyer en France. «Bons baisers de Chambord, dans la vase à Soissons». Ce serait chouette, qu'en penses-tu Françoise?

– Oui et bien on a une visite d'appart dans trente minutes, dit-elle en raccrochant le téléphone. Vous savez où c'est Montréal-Nord?

– Tu vois qu'il faut connaître la carte! Tu me retiens de la regarder et puis tu me poses des questions géographiques, c'est toi tout craché, ça! Monsieur Mansion, dit Luc en se levant quand même, c'est quoi la densité démographique ici?

– Luc on est parti!

Je les accompagnai au bus. J'eus tout juste le temps de leur expliquer qu'elle est de 4,7 habitants au km^2 contre 106 pour la France et

331 pour la Belgique, mais que dans un pays aussi immense, les moyennes n'ont aucun sens: les écarts passent en effet de 3767 à Montréal (20 164 à Paris) à 0,1 habitant au km^2 dans le Nord.

- Tu te rends compte, Françoise? 0,1 habitant au km^2! c'est un nain ou quoi?

Nous étions dans la file. En 1881, les Québécois représentaient 31,4 % de la population canadienne contre 29 % en 1961. Ils ne comptent plus que pour 25 % aujourd'hui. Dans 50 ans, si personne ne s'y met, le Québec ne contiendra plus que 17 % de la population nationale. Voici pourquoi ce pays nous veut: depuis 2001, l'immigration est devenue la première source de croissance de la population québécoise. Nous sommes les enfants qu'ils n'ont pas faits.

Je me souviens de la Norvège

• Le « **Je me souviens** » a été gravé en 1885 sur la porte du parlement de Québec par un architecte qui n'avait pas l'intention d'en faire la devise du Québec. Il s'agissait d'un hommage rendu à l'Angleterre pour avoir accordé l'autonomie politique au Parlement de Québec sur les affaires internes de la colonie, ainsi qu'un rappel de la fierté des origines françaises de la Nouvelle-France. Rien à voir, donc, avec l'abandon de la France, c'est exactement le contraire. La devise n'est apparue qu'en 1939.

• Le **lys blanc**, emblème du Québec jusqu'en 1999, a été remplacé par l'iris versicolore. On s'est aperçu entre-temps que le lys blanc ne pousse pas dans la province.

• La **feuille d'érable** illustre le drapeau canadien et la monnaie reproduit une feuille de l'érable de Norvège qui n'est présent au Canada que depuis 100 ans.

• Le **logo du Fonds Canadien de Télévision** représente des fruits stériles de cet érable de Norvège.

• La chanson *Ô Canada* n'est un hymne national que depuis 1980.

Je fis un signe de la main à Luc et Françoise. Aurais-je du leur déconseiller Montréal-Nord et les envoyer à Outremont? Je n'en suis pas sûr. À quoi sert d'immigrer si on ne peut pas découvrir?

Notes additionnelles sur le fleuve puissant et majestueux:

Au moins 60% de tout ce qui se trouve dans votre appartement a été transporté sur le Saint-Laurent. Ce qui nous semble un long fleuve puissant et majestueux s'avère une autoroute surchargée: il est la voie d'entrée royale à l'intérieur du continent nord-américain. Prenant sa source dans les Grands Lacs aux États-Unis, se déversant dans les chutes du Niagara, le Saint-Laurent se gonfle des eaux de l'Outaouais, du Richelieu, du Saguenay et de la Manicouagan, pour atteindre, après Québec, plus de 30 kilomètres de largeur et se lâcher dans l'Atlantique. D'abord, il s'agit d'eau douce. Mais à partir de l'Île d'Orléans, le degré de salinité augmente car les marées remontent le fleuve: il contient 24 grammes de sel par litre entre cette partie et l'embouchure du Saguenay, puis de 26 à 34 grammes ensuite. C'est pourquoi à Tadoussac, alors qu'on est encore sur le fleuve, on l'appelle la mer. Il se produit à cet endroit un phénomène fabuleux, quoique invisible: en face de Tadoussac, le fond marin passe de 30 à 400 mètres de profondeur. Les eaux froides qui se dirigent vers Québec se heurtent à une sorte de mur sous-marin et sont renvoyées vers la surface (avec des molécules d'air). Elles créent un afflux contribuant à nourrir le plancton, car, c'est une bonne nouvelle, l'eau flotte: celle de 20° C flotte sur celle de 2° C, c'est une vérité que j'ai expérimentée dans mon bain.

Cinq cent vingt-cinq bélugas habitent en permanence dans l'estuaire du Saint-Laurent. Plus haut, dans l'estuaire maritime, se trouve le plus grand de tous les mammifères: le rorqual commun. Dix-sept mètres de long, un poids pouvant atteindre 28 000 kilos, on ne peut dire qu'une chose en admirant un rorqual: c'est assez. Ils viennent ici en été, par petits groupes de deux à sept individus. Quoique leur chasse soit interdite, leur nombre diminue considérablement. On peut les voir de Tadoussac, évidemment, mais aussi de bien d'autres endroits plus tranquilles comme Sainte-Anne-de-Portneuf, près de Forestville, grâce aux Croisières du Grand Héron. Une des touristes me raconta que lors de sa dernière expédition sur le zodiac piloté par un passionné, le souffle vaporisé d'une baleine qui nageait à un mètre de là se déposa dans sa tasse de thé. Mais depuis 2002, la distance est réglementée et on ne peut s'en approcher à moins de 200 mètres, ce qui nous prive pour toujours de l'extraordinaire magie de la proximité, ô saint Laurent, priez pour nous (Croisières du Grand Héron, 1-888-463-6006).

LA LANGUE DE CHEZ EUX
NOTIONS DE JOUAL POUR LES VIETNAMIENS

La plupart des jugements européens sur le parler du Québec reposent sur une méconnaissance de l'histoire de notre langue.

Avant que l'Académie Française, pour des raisons éminemment politiques, ne fixe le français tout en inventant quantité de mots savants, on employait, en France, les mots que nous reprochons aux Québécois de dire à la télévision: les «ben d'valeur», «canceller», «asteure» «comprenable» jusqu'aux «quand que» ou «mais que» pour «dès que», étaient français avant de devenir québécois. De même, on le sait, pour l'accent: dans la société aristocratique française jusqu'à la Révolution, le «oi» se prononçait «oué» (ce qui permet à tant de paroliers de faire rimer aimer avec moé), et Louis XIV disait «l'État c'est moé», exactement comme Marie-Chantal Toupin. À côté de ces formes que l'on connaît, on en trouve bien d'autres, magnifiques et disparues ou occupées à mourir ailleurs.

Au Québec, la langue n'a pas subi la dictature imposée par l'administration de Richelieu, ni cette obsession nationale de savoir si ce mot que l'on vient de prononcer entre Français qui le comprennent parfaitement, est français. Car cette question ne s'est posée en Nouvelle-France que bien après l'arrivée des émigrants.

Faut-il le regretter? N'était-ce pas une manière de distinguer les «bons» des «mauvais», les riches (cultivés) des pauvres (illettrés) et de signifier l'avènement d'une société normalisée aboutissant à l'éradication totale des parlers locaux? L'article 24 des statuts de l'Académie Française fondée en 1635, stipulait que «la principale fonction de l'Académie sera de travailler, avec toute la diligence possible, à donner des règles certaines à notre langue, à la rendre pure, éloquente et capable de traiter les arts et les sciences, d'après les règles données du bel usage». Qu'est-ce que le bel usage? «La façon de parler de la plus saine partie de la Cour, conformément à la façon d'écrire des meilleurs auteurs» dit Vaugelas. Cette «centralisation monarchique[3]» explique les incroyables bonhomme mais bonhomie, souffler mais boursoufler, charrette mais chariot et délai mais relais: et il suffit de lire les scandales provoqués par les réformes de l'orthographe pour comprendre qu'en France, le français, avant d'être une langue, est un culte.

Le cas d'assir

Le verbe asseoir se conjugue encore souvent dans l'ancienne forme française: je m'assis; assisez-vous; il s'assira. Nos maîtres de français ne parlaient pas autrement: « Assisez-vous sur cette molle couche» disent Ronsard et Régnier. Thomas Corneille écrit «Je m'assis; tu t'assis»; Vauvenargues conjugue au futur: «Il s'assira» et La Bruyère emploie le plus souvent «il s'assit», quoiqu'il écrive aussi «il s'assied», remarque le linguiste acadien Poirier.

L'imitation du parler de la Cour s'est étendue de Paris à la province, et du XVIIe au XXe siècle. Elle a créé une préciosité de langue et de manières étrangère à l'esprit gaulois dont la France se fait une fierté nationale. On dira la gorge pour les seins, les cuisses désigneront les fesses et à Paris l'on débaptisera les rues Gratte-cul, Gros-Pet ou Poil-au-Con[4], parce qu'elles blessent les oreilles devenues pudibondes.

Ce principe d'élégance appliqué aux mouvements de la nature humaine a permis à des génies de créer des œuvres splendides, car l'art naît toujours de la contrainte. Mais qu'ont fait tous ceux

3 VIALA A., *Naissance de l'écrivain*, Éditions de Minuit, 1985.
4 PERROT P., *Le travail des apparences, le corps féminin*, Points, Seuil, 1984.

qui n'étaient pas des génies? N'ont-ils pas eu tendance à croire qu'ils exprimaient une belle vérité parce qu'ils n'écrivaient qu'une jolie phrase, ou pire encore, sacrifié ce qu'ils avaient à dire parce qu'ils ne trouvaient pas une belle manière pour le faire?

Tout ceci n'a point cours icitte, car ce pays déteste par-dessus tout la préciosité: on peut donc dire, sans que personne ne tombe malade, des chevals, ma chemise est sec, dont la forme était acceptée au XVIIe siècle, et j'vas m'tinker, qui a 15 ans d'âge. On peut également employer des expressions aussi invraisemblables que «on est loin de la coupe aux lèvres», «l'information qui vient de précéder», «faire entendre sa vision des choses» ou «chercher de midi à quatorze heures»; créer de nouveaux mots latin (l'«uva-lum» pour le vagin «où va l'homme»), ou de nouvelles maladies délatinisées (la dépression passe-partout pour *post-partum*): tout le monde se comprend très bien, même avec des expressions qui n'ont aucun sens.

De là à dire, comme Yves Duteil, que, «De l'Île d'Orléans jus-qu'à la Contrescarpe le vent s'est pris dans une harpe et qu'il a composé toute cette harmonie», c'est un peu exagéré. Admettons qu'il se soit pris dans une harpe. Mais il lui manquait beaucoup de cordes.

Il y a deux ans, j'ai été invité à prononcer une conférence sur le thème: «Faut-il apprendre le français ou le joual aux immi-grants non francophones?» De nombreux Vietnamiens s'éton-naient en effet qu'ils ne comprissent absolument pas le français parlé en rue, en bas du centre de cours d'immersion francophone. Fallait-il leur enseigner le mot véhicule, automobile, bagnole ou char? Les quatre? «Je vais me marier» ou «m'a'm pogner une blonde»? «Pardon, madame, pourriez-vous m'indiquer la station de métro la plus proche?», comme il est dit à la page 2 des Assimil, ou «Ousèksè kon pogne lmétro icitte?» Un érudit québécois expliqua à une universitaire de Hanoi disposant d'une maîtrise ès lettres que le Québec entendait maintenir son patrimoine de l'oralité et se lança dans une apologie des fautes d'orthographe.

– Non à la dictature du bien-écrire et oui au parler-vrai, déclara-t-il. Les immigrants asiatiques doivent apprendre à parler comme on parle dans la rue et non à Radio-Canada. Le joual a ses lettres de noblesse depuis que Michel Tremblay…

– Je voudrais terminer par une citation d'Yves Duteil, dit la directrice qui craignait un débat car il était déjà cinq heures moins cinq.

– *Prendre un enfant par la main!* s'exclama une éducatrice spécialisée en intégration des immigrants.

Les Vietnamiens ne comprenaient plus du tout de quoi l'on parlait, et voulaient seulement savoir ce que signifie «face de citron» qu'ils avaient entendu sur Saint-Laurent. Comme la directrice allait inévitablement sortir l'affaire de la Contrescarpe qui n'avait rien à voir avec le sujet, et qu'en outre les Vietnamiens allaient se demander en quoi un escarpin allait régler leur problème, je pris le taureau par les cornes tout en mettant les pieds dans le plat:

– Le Québec souffre d'un manque cruel de vocabulaire français. La pauvreté du joual n'aide pas, puisqu'il se voit obligé de compenser son manque de nuances par des insultes au bout de chaque phrase, à l'endroit où les Allemands renvoient leurs verbes conjugués. Le joual est une langue de classe, un signe de reconnaissance sociale, aussi bien que le subjonctif imparfait. Ce que Monsieur Gagnon (le type de l'oralité) considère comme un langage «authentique» n'est rien moins qu'une barrière destinée à séparer les riches des pauvres, les «vrais» Québécois des faux, c'est-à-dire nous, les immigrés.

– Scuzez…, tenta Gagnon.

Mais j'étais déchaîné.

– Je trouve inacceptable qu'un universitaire disposant de plusieurs niveaux de langage recommande l'appauvrissement du vocabulaire comme moyen d'affirmation nationale.

– Ben voyons donc!

– ...la richesse du vocabulaire n'est pas un signe de bourgeoisie mais de civilisation. Il faudrait que l'on m'explique comment on peut apprendre la cuisine en ne différenciant pas étuver, écumer, dégorger ou pocher?

– Bon, c'est sûr mais c'est pas tout l'monde qui cuisine, interrompit la directrice qui voulait toujours conclure quelque chose dans le consensus.

– Il y a les mêmes nuances en japonais, reprit celle qui enseignait le français aux Vietnamiens.

– Eh bien justement! Nous avons des sushis pour vous remercier d'avoir participé...

– Scuzez... reprit le type au stade oral.

– Tout le monde ne cuisine pas, continuai-je. Mais tous les participants passeront à la casserole s'ils confondent je t'aime avec je te désire, je t'apprécie, j'ai besoin de toi, je veux ton fric ou fais-moi jouir. Quand on confond le nom des fleurs, on finit par se faire piquer.

– Ça a pas d'bon sens...! s'exclama Gagnon en se levant.

– Et bien ce n'est pas aujourd'hui que finira le débat, conclut la directrice, avec un grand sourire. Monsieur Mansion dédicacera son *Guide de Survie des Européens à Montréal* sur la table près de la sortie. Monsieur Gagnon signera son *Apologie du joual* de l'autre côté, et il y a des livres vendus par l'école au fond de la classe.

L'*Apologie du joual* était écrite dans un français impeccable mais il n'en vendit pas un. Moi non plus d'ailleurs. Mais les versions cartonnées du *Harrap's Shorter French-English* firent un réel carton. J'attendis le départ de Gagnon et, pour résumer la situation avec les Vietnamiens qui étaient restés, inscrivis sur le tableau:

1 – Les injures se déclinent

Les temps primitifs des injures sont:

Très impoli	Moins impoli	Signifie
Ciboère	Simonak	Jésus Marie
Kriss	Krim	Doux Jésus
Tabarnak	Tabarnouche	Seigneur
Sacrament	Sacrifis	Mon Dieu
Siboartabarnak	Tabouèr	Au nom du ciel
Stie	Estie	Bon Dieu
Kâliss	Kâline	Merde

2 – Les injures se conjuguent

Surtout quand elles sont des verbes qui n'existent pas, les injures se conjuguent, de manière irrégulière. Ainsi, tabarnaquer n'a aucun sens, mais on s'en tabarnake-tu signifie qu'est ce qu'on s'en fout, tandis qu'on ne dit pas je m'en tabarnaquerai.

D'où ce petit tableau à apprendre par cœur quand vous êtes seul devant une soupe aux nids d'hirondelles:

Présent	Passé	Futur
Je m'en tarbarnake-tu	Je m'en crissais	Je m'en crisserai
(cela m'indiffère)	(cela m'indifférait)	(cela m'indifférera)

3 – Les mots finissant en oune sont sexuels

Ainsi dit-on

Baboune: lèvres charnues, moue
Bizoune: pénis

Chouchoune: baby (comme dans I *love you baby*)

Doudoune: couette

Foufoune: fesse

Guidoune: pute

Moumoune: tante, homosexuel efféminé

Noune: vulve

Nounoune: godiche

Pitoune: pin-up

Ticoune: petit crétin (comme dans petit salopard de mon cœur)

4 – Les prépositions sont inutiles

Le Québécois rallonge beaucoup d'expressions en y ajoutant une foule de petites prépositions complètement inutiles. Il dit «à chaque jour» pour chaque jour, qu'il a «de besoin» pour dire simplement qu'il a besoin, il n'y a «pas personne» pour il n'y a personne, et «ensuite de ça» pour ensuite.

On pourrait penser qu'il perd ainsi en moyenne beaucoup de temps et que dès lors, il lui en faut plus pour exprimer la même idée qu'un autre francophone. En réalité non. Car il se rattrape en raccourcissant d'autres phrases. Ainsi, «j'ai renversé le bol à grandeur» signifie: «j'ai renversé le bol et le contenu s'est étalé sur la grandeur de la table»: le Québécois vient ainsi de rattraper les minutes de retard qu'il avait perdues avec ses prépositions. On objectera que, ne renversant pas tous les jours un bol, cette simple phrase ne peut rattraper toutes les petites prépositions. Mais d'abord, il y a beaucoup de Québécois qui renversent des bols car ils les servent trop chaud. Ensuite, c'est surtout au téléphone qu'ils récupèrent le temps perdu. Quand ils disent, aussitôt qu'on décroche: «Alphonse!» il faut en fait comprendre: «Bonjour cher monsieur, excusez-moi de vous déranger, c'est Réjean Tremblay à l'appareil. Pourrais-je parler à Alphonse, je vous prie?»

5 – Tous les mots sont féminins sauf quand il faudrait

On dit donc une avion, une hôtel, une job, une sandwiche, et même une ingénieure, une professeure, une superviseure ou une enquêteure mais quand une chercheure en français, par exemple, se déshabille et commence donc à parler en oune, elle dit qu'elle est «tout nu».

6 – Ils ont appris des trucs incroyables à l'école

La plupart s'expriment en syllepse («Il s'est faite une corde» pour «il s'est fait une corde», «tout le monde se connaissent») avec assibilation des occlusives (la prononciation ts pour t et dz pour d). Demandez à un universitaire parisien de le faire, il ne saura même pas ce que c'est, tabarnak.

7 – Ils reprochent aux Français de massacrer leur langue

Les Québécois, qui utilisent des termes aussi touareg que tchar-kôl (barbecue) estiment que les Français («de France»), y compris les Vietnamiens de Paris, emploient trop d'anglicismes, ce qui fournit un sujet de conversation explosif en attendant la cuisson des côtes levées que nous appelons *spare-ribs*. Ils vont invariablement vous parler de caravaning, footing et zapping qui n'existent pas en anglais. Au Québec, on dit dès lors:

Aïe fie .... Hi fi
Fowd .... Ford
Fwenk .... Franck
Jissi .... généralement Jean-Christophe
Jieff .... Jean François

Voici quelques arguments pour animer la soirée (vous devriez pourtant changer de sujet).

«Meeting» a été introduit dans la langue de Voltaire par Voltaire lui-même en 1764, soit un an après l'abandon du Canada aux Anglais. Ils l'ont donc juste manqué de quelques mois, c'est too bad. À partir de ce moment les mots en ing se sont progressivement installés dans la langue française sur le vieux continent, tandis que les Québécois ont continué à dire bêtement réunion. Néanmoins, si vous concédez que nos anglicismes sont intentionnels (pour faire américain) tandis que les leurs suppléent à l'ignorance du mot juste, vous approcherez de la vérité et on vous frenchera tellement que vous devrez demander des napkins.

Un mot qui n'existe pas
« Si » n'existe pas et se remplace par oui. Vous ne voulez pas reprendre de la poutine ? Oui, on dit.

8 – Les noms de famille sont des surnoms

Les noms de famille proviennent essentiellement de France. Comme vous avez pu le constater, 83 620 personnes s'appellent Tremblay au Québec. Le second nom le plus répandu est Gagnon (60 680). Mais ce qui est vraiment surprenant, c'est que 798 personnes s'appellent La Framboise, et 799 Surprenant. D'ailleurs qui a été champion de ski nautique au Québec? Pierre Plouffe.

Sur les quelques 6000 patronymes existant, près de la moitié ont pour origine des surnoms. Les Vadeboncœur, Larose, Sansregret, Sanschagrin, Parisien, etc. descendent ainsi de soldats des armées françaises venus aux XVIIe et XVIIIe siècles en Nouvelle-France.

Enfin comme tout le monde s'appelait Tremblay et que les autres s'appelaient Gagnon, la plus grande originalité a régné dans l'attribution des prénoms. C'est ainsi que les Médar, Mélazippe, Odinase, Paphnuce et Gondolgus épousaient des Ediltrude,

Quinquenelle, Saliberge et des Vélérienne (leurs petits enfants s'appellent Kevin, Steve et Mike). Néanmoins, dans beaucoup de cas, on préférait garder les mêmes prénoms de génération en génération, de sorte que pour s'y retrouver, il n'y avait d'autre solution que d'utiliser des sobriquets: Tête-à-deux-jaunes, Pas-de-fesse, Paul-à-Joseph-à-Placide-à-Louis permettaient de distinguer les enfants des «Tremblay-de-la-Cabane» des «Tremblay-du-Vatican» qu'on pouvait également appeler, dans cette bienveillance qui caractérise les villageois du monde entier, les «Baise-la-Piastre», «Peigne-cul» ou mon préféré «Pète-dans-le-Trèfle».

LASLPSUAQ

(liste des abréviations et des sigles
les plus souvent utilisés au Québec)

B&B	Bed and Breakfast
BC (« bissi »)	British Columbia (Colombie-Britannique)
BS	Bien-être Social
CLE	Centre Local pour l'Emploi
CLSC	Centre Local de Services Communautaires
CRTC	Conseil de la radiodiffusion et des télécommunications canadiennes
DGQ	Délégation Générale du Québec
DPI	Demande Préliminaire d'Immigration
FTQ	Fédération des Travailleurs du Québec (syndicat)
GRC	Gendarmerie Royale du Canada
SAQ	Société des alcools du Québec
SAAQ	Société de l'assurance automobile du Québec
SEPAQ	Société des Établissements de Plein Air du Québec
SOCAN	Société Canadienne des Compositeurs et éditeurs de musique
SOIIT	Service d'Orientation et d'Intégration pour Immigrants au Travail de Québec
TPS	Taxe sur les Produits et Services
TVQ	Taxe de Vente du Québec

VIENS CHEZ NOUS, J'HABITE TOUT SEUL :
VISITE GUIDÉE D'UN INTÉRIEUR QUÉBÉCOIS

On prendra garde, lorsqu'un Québécois nous invite chez lui, à bien comprendre ce qu'il entend par ce dernier mot. Comme on dit «chez nous» pour dire «chez moi», il est impossible de savoir si l'on va chez un célibataire ou dans une famille nombreuse. Si l'on veut se renseigner auprès d'une connaissance commune pour savoir qui habite chez André, on se fera répondre: «André? Il vit tout seul chez eux»: au Québec, on ne peut pas savoir qui habite chez qui. J'ai connu un Français qui, ayant frenché une Québécoise un samedi, se vit inviter par celle-ci à passer la nuit du dimanche «chez nous», ce qu'il prit pour une présentation à son mari. Il m'appela en pleurant.

À l'entrée, on commence par dire allô, en poussant de grandes exclamations pour manifester le plaisir de se revoir, en prolongeant le ô de allô, ce qui donne une sorte de allôôôôô, bien difficile à rendre dans la langue écrite. Ce cri se pratique systématiquement, et toutes générations confondues.

Cette exclamation est à l'origine d'une méthode mnémotechnique que j'ai inventée et livre à la postérité. Il est en effet d'usage d'enlever ses chaussures lorsqu'on entre chez quelqu'un, été comme hiver, printemps et automne compris. Pour retenir cet usage, et déposer sa paire de chaussures, il suffit de penser à l'ôter: allô-t est donc le mot à retenir, en disant allô.

On donne deux bises (becs) aux femmes, et on serre la main des hommes. Certains s'embrassent parfois, mais il s'agit plus d'une accolade que d'un baiser, car ils se tapent violemment et mutuellement le dos.

Après avoir ôté (allôté) ses chaussures, on vous proposera un tour du propriétaire puisque beaucoup de Québécois ne considè-rent connaître vraiment quelqu'un que lorsqu'ils ont vu sa maison de fond en comble. C'est une façon de montrer à l'autre, soit que l'on est comme lui, soit que l'on possède un écran de plasma dans la chambre à coucher.

Je n'ai jamais su si on fait le grand ménage avant la visite, ou s'il en est systématiquement ainsi, mais quand on visite les «condos», ils semblent toujours rangés à l'excès. À n'importe quelle heure du jour, on les trouve nettoyés par le vide. On ne constate ni la présence de poussière, ni l'existence d'un livre qu'on serait occu-pé à lire, ni fleur fanée, ni journal, mais généralement une odeur de fruit qui n'a poussé sur aucune branche, mais sort d'un petit appareil branché, justement, dans une prise électrique.

On pousse également des cris en visitant chaque pièce. Les femmes expriment généralement leur intérêt par «cé-don-ben-quioute» tandis que les hommes posent des questions sur les aspects techniques de la «bâtisse» (bâtiment). Personnellement, pour avoir l'air concerné lors de la visite, j'ai décidé de m'excla-mer systématiquement «cètu-en-jiprok», car je l'ai beaucoup entendu dire. Je fais mine ensuite de comprendre la réponse, comme doivent faire tous les immigrants et les sourds.

Autour du «foyer» (le feu ouvert), on trouve souvent un «mur de briques apparentes» (un mur) authentiquement acheté chez Brault et Martineau. Le sol est en «bois franc» (parquet) quand il n'est pas en «prélart» (linoléum). Il se nettoie à la «moppe», une sorte de chevelure de lamelles blanches qu'on plonge dans l'eau savonneuse, ou avec un «Swiffer». Il s'agit d'un balai démontable muni d'un socle sur lequel on fixe un tissu qui enlève la poussiè-re et dont j'aurai l'occasion de reparler car je voudrais maintenant attirer votre attention sur la cuisinière.

Celle-ci comporte des «ronds» plutôt que les plaques. Ces ser-pentins deviennent incandescents quand on les allume, ce qui permet de ne jamais oublier de les éteindre quand on sort. En revanche, ces ronds laissent passer des impuretés, il faut donc protéger le fond par de petites assiettes en aluminium. Pensez-y quand vous vous installerez, mais voilà ce que je voulais dire : on peut en fabriquer soi-même avec du papier alu.

Comment font-ils la vaisselle ? Comme nous, mais les brosses changent de forme pour prendre celle de petites moppes un peu molles et à l'air déprimé, comme peuvent l'être certaines directrices de communication après un joint.

Toute cuisine contient un «comptoir», (toute surface plane de niveau supérieur à une table), un frigo, une cuisinière et un «toaster» (grille-pain).

Centre d'interprétation du grille-pain

- S'appelle toaster.
- Si on ne veut griller qu'une seule tranche, il faut impérativement la placer dans la partie gauche du grille-pain.
- Certains grille-pain permettent également de rôtir des bagels.
- Les grille-pain s'utilisent comme briquet (*lighter*) quand on en n'a plus.
- Les gens fauchés confectionnent un grille-pain en tordant un « support » (un cintre) déposé sur un des « ronds »de la cuisinière.

Sortons fumer sur la galerie (le balcon). Dans la cour (le jardin), l'immense chose recouverte d'une housse noire en plastique est un barbecue fonctionnant au gaz, car les Québécois continuent d'adorer la cuisine au feu de bois. À notre gauche, ces deux fils en plastique jaune sont des cordes à linge. Vous me demandez immédiatement si cette petite culotte qu'on voit flotter la chevelure au vent s'est envolée puis déposée par magie sur le fil lointain. Non : les deux fils en plastique jaune tournent autour d'un petit cercle en métal, ce qui permettra de la ramener ce soir. À gauche, quelques balais et des caisses de bières vides.

– Tiens, qu'est-ce que cette tente devant la maison? Sont-ce des Indiens venus passer l'hiver?
– Non cher ami, c'est un «abri-tempo». Ils montent ça en octobre pour abriter leur voiture jusqu'en avril. Cela leur évite de devoir la déneiger le matin à grands coups de balai. N'est-ce point judicieux? Et ce n'est pas tout. De leur salle à manger, ils peuvent démarrer leur moteur, grâce à ce qu'ils nomment un démarreur à distance, permettant de polluer l'air même quand la voiture est immobile.
– Et ces cubes de métal accrochés aux fenêtres? On dirait des armoires.
– Non, ce sont des climatiseurs. Ils les branchent lorsqu'il fait trop chaud. Les Québécois se plaignent du froid en hiver. On peut les comprendre. Et de la chaleur en été, qui est étouffan-te. On peut les comprendre.
– En conclusion, ils aimeraient qu'il fasse froid en été et chaud en hiver? On peut les comprendre.
– Je dirais que s'il fait froid en été, ils se plaignent plutôt qu'il n'y a plus d'été.
– On peut les comprendre.
– Et que s'il fait chaud en hiver, ils accusent immédiatement le trou dans la couche d'ozone en allumant leur climatiseur.
– On peut bien sûr les comprendre.
– Exactement. C'est pourquoi il fait glacial dans leurs voitures en été, et étouffant dans leurs maisons en hiver.
– Mais on peut le comprendre.
– Absolument. Nous allons maintenant entrer à l'intérieur. Je vous rappelle quelques règles. Premièrement, il faut de nou-veau ôter ses chaussures, mais cette fois-ci, ne redites pas allô. Deuxièmement, le jeune homme qui se trouve dans le sofa (le canapé) va dire dans les minutes qui viennent: «Ça t'tenterait-tu une trempette?» et...

- Je n'ai pas mon maillot…
- Justement, vous devriez m'écouter complètement avant de parler. Ça ne signifie pas qu'ils ont une piscine, mais du chou-fleur cru, qu'ils vous proposent de tremper dans une sauce qui s'appelle salsa si elle est épicée.
- Est-ce que ce sera tout le dîner?
- On dit souper comme on disait en France au XVIIIe siècle.
- C'est très difficile cette soirée. En quelques minutes, je dois retenir trempette, allô, allô-t, pas-allô, cètudujiprok, dîner à midi, climatiseur en hiver, petite culotte à distance… J'ai peur de tout mélanger quand je vais rentrer chez lui.
- Chez eux. Êtes vous ethnologue ou pas?
- Oui, mais enfin, je suis surtout universitaire et ma spécialité est plutôt le…
- Bon, ensuite on aura sans doute une fondue chinoise. Vous prenez les légumes qu'on vous donne et vous les jetez dans le poêlon.
- Vous voulez dire le chou-fleur de la piscine?
- Non, ça c'était la trempette. Je vous parle du souper (le dîner). Vous m'aviez dit que vous êtes spécialisé dans l'histoire gastronomique, c'est pour ça que je vous ai invité. Donc on vous sert un plat avec de la viande et des légumes, et vous les plongez dans la casserole. Bien compris?
- Parfaitement. Mais je vous signale que ça n'a rien de chinois. La dynastie Ming…
- On se fout de la dynastie Ming. Après on va vous faire manger une fondue au chocolat. Vous prenez ce qu'on vous donne et vous le plongez dans le bol. Je vous informe que c'est à ce moment qu'on vous demandera ce que vous faites au Québec. Les Québécois veulent absolument savoir pourquoi vous êtes au Québec, étant donné qu'ils se demandent eux-mêmes ce qu'ils y font. Tous les Californiens comprennent parfaitement ce qu'on vient faire à Los Angeles, mais pas les Québécois chez eux.
- J'ai déjà ma réponse.

- C'est quoi?
- «Je suis venu au Québec pour parcourir les grands espaces à la recherche de ma cabane au Canada, et comprendre la cause de l'extermination des Indiens.»
- Il faudrait ajouter une précision.
- Laquelle?
- «…et afin de comprendre pourquoi les Québécois parlent si mal le français.» Vous allez passer une super soirée. À demain.
- Merci encore.

LE QUÉBEC QUI AIME

Il était six heures moins le quart du matin, mais ma montre, encore réglée sur l'heure européenne, indiquait près de midi. Je ne pouvais plus dormir, et j'avais faim, car le décalage horaire agit surtout sur l'estomac. Je me promenais sur Saint-Denis à la recherche de deux œufs saucisses, lorsqu'une employée secrète du gouvernement en tenue normalisée approcha pour me demander :

– Tu veux-tu un beau job ?

Parfois, il faut des livres entiers pour comprendre un peuple ; parfois quelques mots suffisent. Et ce matin-là, en un éclair, je saisis l'Amérique. Oui, me dis-je, ce dynamisme américain qui a fait Ford, Microsoft, la Nasa et Hollywood, ne vient pas d'ailleurs que de ce pragmatisme. Alors qu'en France, le gouvernement se retire en séminaire dans des châteaux du XVIIe siècle pour résoudre le problème des banlieues au siècle prochain, ici, à toute heure du jour et de la nuit, il envoie des agents chargés de pousser vers le plein emploi. Ils avisent les promeneurs que le pays a besoin d'eux, car il y a toujours quelque chose à faire, un job à trouver, un coup de main à donner à la communauté.

Je regardai attentivement l'agente gouvernementale. Elle était encore jeune, un peu impatiente, et zélée.

– Je ne suis pas résident permanent, dis-je pour montrer que je m'intéressais aux questions administratives et sociales du pays.
– On s'en fout-tu ?

Étonnante Amérique…! Le règne de l'efficacité à tout prix: non seulement le gouvernement me proposait un travail, mais il me fournirait les papiers, comme s'il s'agissait d'une procédure négligeable. Et j'admirais ce ton, certainement appris dans des stages, mais néanmoins proche des jeunes, amical, humain, presque tendre, car elle m'avait dit «on s'en fout-tu» avec une sorte de complicité gouvernementale introuvable en Belgique.

– Tu veux-tu ou pas?

À la vérité, j'étais partagé car je ne cherchais pas de travail; mais l'opiniâtreté de cette fonctionnaire, sa simplicité dans l'exécution me touchaient et m'intriguaient.

– C'est quoi exactement un beau job? lui demandai-je en pressentant, je ne sais comment, qu'elle allait me proposer de travailler dans les transports en commun, alors que j'ai horreur des contacts avec la clientèle.
– T'as jamais faite ça?
– Quoi, madame?
– Ben un beau job. T'as jamais eu un beau job?
– Si, si, bien sûr. Mais là je suis en vacances et…
– Ben là, si t'es en vacances, c'est l'moment de l'faire.

Les agents du gouvernement m'ont toujours étonné, mais celle-ci les dépassait tous. Les vacances en Amérique n'ont pas ce caractère sacré qui a poli la nationale 7. Ici, on fait deux, trois boulots en même temps et on trouve cela drôle. Oui, l'Amérique adore retrousser ses manches, domestiquer la nature en défiant la majesté des séquoias par la grandeur de ses buildings. Et tout se fait tout de suite, sans test graphologique et sans discussion. Car le Québec a besoin de nous.

Elle me prit donc par la main avec cette tendresse dont je parlais tout à l'heure et m'emmena vers son véhicule pour signer des formulaires. Il devait être six heures car tout avait été très vite. C'était en juin, et la chaleur humide de Montréal se mêlait à cette légère odeur de pollution qui fait le charme de Paris. Dans ma tête, j'écrivais déjà à l'Europe que le plein emploi passe par des mesures concrètes à l'américaine, supposant un investissement réel de toutes les instances administratives, lorsqu'elle essaya de défaire ma braguette.

On imagine ma stupeur quand on a compris ma naïveté. À six heures trente, j'avais réalisé qu'elle m'avait en fait proposé un *blow-job*, soit une fellation, une pipe, une succion intime. En méditant sur mes deux œufs saucisses, vers sept heures, j'eus l'idée d'écrire un guide pour les étrangers au Québec et me mis à rédiger le *Guide de Survie des Européens à Montréal*.

Quatre mois plus tard, à la Délégation du Québec à Paris, un poète renommé de Montréal me reprocha de n'avoir pas abordé la sexualité de la Province.

> – Vous savez ce qu'a dit Charlebois : « au Québec, tout commence par un cul et finit par un bec. » Ailleurs, c'est généralement le contraire, où l'amour semble la condition du sexe.

En effet, pour nous, il semble qu'il faille aimer pour toucher. Ici, cela n'a rien d'obligatoire. On n'est pas obligé d'aimer pour jouir mais il est obligatoire de jouir quand on aime. Il semble à la société québécoise que ne pas atteindre, ne pas faire atteindre l'orgasme relève d'une sorte de manque de savoir-vivre et d'une incompétence en mécanique. À une Française frigide ou simplement un peu froide, l'amant conseillerait, avec l'air un peu tendu d'Alain Finkelkraut sur la question palestinienne, une thérapie, une psychanalyse ou un séminaire de cri primal. Un Québécois proposera après le dîner un essai de vibrateur (vibromasseur) et le lendemain elle sera souriante.

Les sex-shops au Québec sont donc éclairés comme des Wal-Mart et leurs vendeuses gentilles comme des pâtissières. Elles ont tout goûté et acceptent n'importe quelle commande avec bonhomie, si l'on peut dire : boules chinoises qu'on introduit dans l'anus, japonaises qu'on met dans le vagin, costumes de schtroumpfette en infirmière ou menottes médiévales, il n'y a rien qui les étonne. Aux femmes, rarement gênées dans ces endroits, elles proposent des «charmeurs» (godemichets à deux branches), des reproductions de pénis moulés à partir de modèles connus de la pornographie avec «texture réaliste» ou «cyber-peau», des harnais permettant d'accrocher un faux pénis à sa culotte, des hommes gonflables, des queues de cheval à enfiler dans l'anus, et tout cela est «ben ben l'fun».

Les hommes peuvent choisir entre des vagins et des anus moulés sur le corps d'actrices américaines du X, des pompes à pénis ou des poupées gonflables avec «trois entrées de pénétration vibrante». La «Perfect Blonde» (car la loi 101 imposant un étiquettage en français ne se rend pas jusqu'à ces emballages), dispose même de quatre «voies de stimulations». Le coup de cœur de ce sex-shop de Sainte-Thérèse, 85 boulevard Curé Labelle? La «petite culotte vibrante à distance», que l'on peut télécommander dans un rayon d'au moins 20 pieds (20 x 30 centimètres = 6 mètres), comme dans Le Déclic de Manara, et à activer, par exemple, quand on fait ses courses au Provigo.

Il n'y a là rien de malsain ni de vicieux, sauf qu'elles donnent le prix sans taxes. Pour ces vendeuses, mais aussi pour les clientes, tout cela est parfaitement normal, car elles en ont entendu parler depuis 25 ans. Chacun fait ce qu'il veut du moment que l'autre y consent.

La société québécoise tout entière ne se rend pas au sex-shop, c'est évident. Mais elle observe avec le plus grand flegme britannique tous les comportements sexuels, et les encourage dans sa majorité comme font les Suédois pour les barres parallèles. On parle de sexe à la radio tous les après-midi à 14 heures, le Journal de Montréal encourage ses lecteurs à se masturber avant les fêtes de

Noël pour ne pas virer dans la débauche lors des «party de bureau». De sorte que les étrangers s'imaginent trouver ici une société totalement libérée.

Pas encore, pourtant. Car si l'on peut parler de tout, faire ce que l'on veut, on ne peut pas tout montrer: les Québécois, à titre de Canadiens, se révoltent sérieusement contre les affiches publicitaires qu'ils voient à Paris, parce qu'elles rabaissent la femme au rang d'objet: telle cette publicité pour le photocopieur Ranx Xerox qui avait scandalisé le *Daily Telegraph*, parce qu'on y voyait une jeune femme déclarer en souriant «Je veux des rapports fréquents et rapides»; ils ne comprennent pas que Sophie Marceau, pour parler comme Alain Souchon, montre ses seins dans une télé-série, mais ils ne verraient aucune objection à ce qu'elle figure à quatre pattes dans un film porno; ils diffusent des films plus ou moins cochons sur des chaînes généralistes, mais le naturisme sur les plages leur paraît frôler la limite de l'indécence; le journal *Voir* multiplie les appels des prostituées, mais la loi interdit qu'on leur parle. Vieux fond de puritanisme pour donner du piquant à la bagatelle, reste de la *privacy britannique*, je n'en sais rien. Mais les sexologues sont sincèrement plus indignés de l'intrusion de seins dans des dessins animés que de godemichets après 22 heures.

Le rapport amoureux sort fondamentalement modifié de la liberté sexuelle prônée par la société «post-moderne». En 2004, une enquête a montré que les jeunes de 18 à 24 ans n'assimilent plus le divorce à l'échec amoureux: il leur semble tout à fait normal de se séparer lorsqu'il n'y a plus d'entente. Ce qui était vécu comme un drame il y a vingt ans est passé dans les mœurs.

Mais n'est-il pas un peu facile de citer des statistiques quand on parle de sexe, et de s'en prendre toujours au comportement des jeunes? Le dénommé Hubert Mansion ne pourrait-il parler de son expérience? J'y venais, j'y viens, j'y suis: le Québec n'a simplement aucun tabou dans le rapport intime. Je n'ai jamais senti, dans le fond de la pensée des femmes que j'ai aimées ici, cet endroit de résistance de principe, appris de la mère, qui a décidé qu'une telle chose était bien, et l'autre horriblement délicieuse.

Les gens vraiment pervers diront que le plaisir perd en intensité ce qu'il gagne en liberté, et c'est justement ce que j'aime du Québec: la santé de l'amour. Je n'ai pas l'avis des moralistes condamnant cette société ouverte, car ceux-ci ne voient jamais que les excès. Bien sûr il y en a. L'apologie du sexe tend sans doute à multiplier les succédanés de l'amour, et on a vite fait de croire qu'on fait l'amour quand on n'entreprend que de se soulager.

Sur 100 Québécoises

- À l'occasion, 60 font l'amour même si elles n'en ont pas envie.
- 90 pratiquent au moins deux positions.
- 35 adoreraient se voir offrir une nuit torride dans un hôtel et 11 de l'aide dans les tâches ménagères.
- 24 ont eu plus de 10 partenaires dans leur vie.
- 100 sont illogiques car la majorité préfère faire l'amour le soir au coucher et la majorité préfère faire l'amour quand ce n'était pas prévu. Si on disait qu'on allait se coucher pour dormir…
- 58 sont favorables aux gadgets sexuels*.
- Il y a 100 % de chances que ça marche si vous faites l'amour en position du missionnaire avec un air torride dans une chambre d'hôtel juste après avoir donné un sérieux coup de main pour le rangement du vibromasseur.

* Sondage du 12 février 2005 réalisé par Léger Marketing auprès de 1058 Québécoises.

Mais suis-je outré, comme Denise Bombardier, des concours de fellation organisés par les jeunes? Certainement pas. Je trouve beaucoup plus malsaine une société qui offre la fellation comme bonbon exclusif au mariage et institutionnalise en quelque sorte l'amour en tant que justification, qu'un festival international de fellation ou de suçage de pouce, indépendant des sentiments.

Car, c'est ce que ne voient pas nos moralistes, le monde est occupé à purger l'amour, en permettant à tous de jouir de ses effets physiques avant de connaître le bonheur de leur cause. Et quand une société comme le Québec sera débarrassée à la fois de ses interdits et de sa libération sexuels, elle aura 100 ans d'avance sur nous, puisqu'elle en a déjà 50. Elle pourra enfin passer à autre chose: ils seront tous comme ces pâtissières dont je parlais, qui n'abusent plus de la crème fraîche puisqu'elles en ont mangé à l'excès, et qui ne prennent que la meilleure, car elles les ont toutes goûtées. Et la sexualité retrouvera sa magie, qu'elle ne possède que dans l'amour.

AYOYE : neuf conseils avant de dire oui

1. En cas de divorce, la pension alimentaire (payée par l'homme bien entendu) est prélevée directement par le gouvernement du Québec.

2. Les revenus de votre seconde épouse ou conjointe (y compris par exemple la pension alimentaire qu'elle reçoit de son ex pour ses enfants) sont pris en considération pour établir le montant de la pension alimentaire à verser à votre ex à vous (relire trois fois et apprendre par cœur).

3. La pension alimentaire n'est pas déductible des impôts.

4. En 2001, le gouvernement du Québec a versé 439 millions de dollars aux organismes et associations d'aide aux femmes.

5. En 2001, le gouvernement du Québec a versé 3 millions de dollars aux organismes et associations d'aide aux hommes.

6. La députée Pauline Marois affirme que si elle était Premier ministre du Québec, les choses changeraient en faveur des femmes.

7. En cas de divorce, réclamer l'application de votre loi personnelle (française, belge, suisse).

8. Il existe une association de secondes épouses de maris siphonnés jusqu'à la moelle : www.asecq.com, et de plus en plus d'associations d'hommes révoltés jusqu'à l'os : www.lapresrupture.qc.ca et www.egalitariste.org.

9. Il existe des sociologues qui se demandent sérieusement pourquoi il y a dénatalité au Québec.

En pratique

- Spécialiste du **contrôle éjaculatoire**: Nicole Audette (514-277-7885).
- Trouver le **point G**: 418-577-2999 (ils ne veulent pas l'indiquer par téléphone).
- La route 112 en Montérégie, à partir de Richelieu jusqu'à Saint-Césaire, a été baptisée «**route du sexe**» en raison des bordels qui y pullulent sur une section de 50 kilomètres: le «Sexy Bar T.D.» du genre de ce qu'on devait voir dans l'Ouest, «le Gentleman», «le Ki-Osk» dans un garage de tôle, la «Brasserie 112» et le «Rendez-vous Érotica», un peu en dehors de la route.
- Association des **Sexologues** du Québec: 514-270-9289.
- Une **spécialité locale**: manger un *cheeseburger* apporté par une serveuse «**tout nu**»:
  Restaurant Frontenac serveuses sexy: 2557 Rachel, Montréal.
  Les Courtisanes: 2533 Sainte-Catherine, Montréal.
  La Jarretière: 7481 Christophe Colomb, Montréal.
  Resto Mini Bouffe: 6043 Notre-Dame E., Montréal.
- Une **autre spécialité** locale: le danseur nu pour femmes.
  CLUB 281: 281 Sainte-Catherine E., Montréal (514-844-4276). Il y en a d'autres: le Classy (514-325-5282), l'Adonis (514-521-1355), le Campus (514-526-3616).
- Une **spécialité mondiale**: les danseuses. Le Québécois qui dit qu'il va «aller aux danseuses» n'est pas vraiment mal vu par la Québécoise (elle ne dit pas benvoyondon). Je ne prétends pas qu'elle lui saute au cou, mais c'est un peu comme le type de Chinon qui décide de passer son dimanche à la pêche. La Française a vaguement l'impression que son mari la trompe avec les poissons, mais se dit en cherchant le programme TV que c'est une affaire d'hommes.
  À Montréal, Chez Parée (1258 Stanley, 514-866-0495) a acquis une renommée internationale, de même que le Club Wanda (1310 de Maisonneuve O., 514-842-6927). Les deux institutions

de Québec sont Le Folichon (6300 Wilfrid Hamel, Ancienne-Lorette, 418-871-1477) et Le Carol (7241 Wilfrid Hamel O., Sainte-Foy, 418-872-CLUB), fondé par un Français.

AVEZ-VOUS DES SPÉCIAUX ?
LE QUÉBEC ET L'ARGENT

Assurancetourix demande au poissonnier s'il est frais, son poisson ; mais le Québécois lui demande s'il a des spéciaux. Justement, il a de la chance, c'est même un vrai miracle, car des spéciaux, il n'y a que ça. Toutes les étiquettes sont imprimées avec l'indication «Spécial» en laissant la place pour le prix et j'ai même vu «Spécial : 1 pour 1 $, 4 pour 4 $ - woah» : au Québec, personne n'est gêné d'être pauvre. On le serait plutôt d'être riche.

«La source de cette réticence à l'égard de la richesse se trouve quelque part entre une retenue judéo-chrétienne devant le plaisir que procure "le bel argent" de Séraphin et l'attitude socialement répandue selon laquelle les Québécois sont "nés pour un p'tit pain", la richesse étant le produit d'une exploitation capitaliste réservée aux Anglais et aux boss étrangers» déclare un ancien patron de la Caisse des Dépôts[5]. En effet, c'est un peu comme si la richesse était de nationalité étrangère.

Aujourd'hui, sans doute, la réussite matérielle n'est plus considérée comme la voie vers l'enfer, mais elle doit garder une certaine québécitude pour qu'on la tolère. Céline et toutes les vedettes installées à l'étranger clament donc continuellement leur attachement au Québec pour confirmer qu'elles demeurent québécoises, quoique millionnaires.

Pourtant, le Québec n'a pas toujours été pauvre. Aux XVIIᵉ et XVIIIᵉ siècles, les Québécois jouissaient d'une qualité de vie globalement supérieure à celle de l'Europe. L'histoire misérabiliste qu'on nous raconte ne couvre qu'un moment dont l'apocalypse

5 NADEAU M., «Leur fric me tue», L'*Actualité*, Septembre 2005.

fut la Dépression. La crise économique provoqua 35 000 cas de faillites de fermiers, lesquelles engendrèrent leur cortège de misère et de faim. À Montréal, 48% des chefs de famille vivaient sous le seuil de pauvreté et dès 1933, près de 40% des francophones de la ville dépendaient du Secours direct[6]. En Abitibi, en Gaspésie, dans les Laurentides, certains habitaient dans des «campes pas restables» mais où ils étaient bien forcés de rester, vivant au jour le jour et rassemblés le soir, avocats, notaires et prolétaires, autour d'une éventuelle soupe populaire. Obligés de pratiquer plusieurs métiers pour survivre, ils s'entraidaient par tradition et se resserraient par nécessité.

C'était hier.

Aucun Québécois, aucun millionnaire d'aujourd'hui, pratiquement, n'a donc grandi dans l'opulence. Personne, au contraire de nous, n'a appris à vivre en riche mais ils ont tous appris à compter. Aussi voit-on des millionnaires se comporter en véritables pauvres, puisque, pour la majorité, ils l'étaient deux générations plus tôt, et il faut se souvenir de ce passé pour comprendre le présent.

Un Européen aurait tendance à croire que les riches ne marchandent pas pour quelques sous, parce que cela n'est pas bien vu chez nous. Mais les Québécois et les Nord-Américains répondent que c'est justement parce qu'ils discutent pour quelques sous qu'ils sont devenus milliardaires. Ils n'ont ainsi aucun état d'âme à grappiller çà et là ce qui pourrait les enrichir. Ne pas saisir cette différence de mentalité a causé bien des surprises dans le monde des affaires internationales et, plus simplement, dans le commerce quotidien des Européens avec les Québécois.

Entre la pitié pour ceux qui en manquent et l'envie pour ceux qui en ont, leur cœur balance dans une sorte de mouvement transitoire. Nous ne sommes pas encore en Californie où l'on affiche son amour de l'argent, ni en Europe où on le dissimule toujours.

---

6 DICKINSON A., YOUNG B., Brève histoire socio-économique du Québec, Septentrion, 2003, p. 254.

De ce sondage révélant que 79% des Québécois se déclareraient « joyeux » si un de leurs proches devenait millionnaire, mais où l'on apprend que 62% jugent insuffisants les impôts payés par les riches, ne faut-il pas nécessairement déduire que, si un de leurs proches devenait millionnaire, la majorité des Québécois seraient « joyeux » de lui faire payer des impôts ?

Le passé récent de pauvreté a marqué la Province dans tous ses aspects. Une institution telle que le Mouvement Desjardins, à peu près unique au monde, est issue de la solidarité de misère, et l'État québécois lui-même descend de la précarité. On le voit aujourd'hui veiller sur ses concitoyens comme s'il les assistait, ajoutant à son rôle traditionnel celui du clergé disparu : il garde les enfants pour 5 dollars par jour, il débite la boisson pour éviter qu'on n'empoisonne ses pauvres, il exploite les machines à sous ; il se fait à la fois médecin, croupier, électricien, assureur, pourvoyeur de subventions dont il a fait la collecte. Il est à peu près partout, coûte donc très cher et affiche en conséquence un déficit record au sein d'un Canada immensément riche (la contribution de 10% de contribuables canadiens représente plus de la moitié des recettes fiscales versées par les particuliers à l'État fédéral tandis que moins de 2% de Québécois ont déclaré des revenus de plus de 100 000 dollars en 2000). La société réclame avec de plus en plus de vigueur moins de taxes mais davantage de services : je n'aimerais pas avoir à la gouverner. Personne, heureusement, ne me le demande.

Ceux qui déplorent cette culture de la pauvreté devraient examiner ses avantages et visiter la Suisse. À part la Belle Province, existe-t-il d'autres endroits, dans l'Occident, où l'on peut vivre démuni sans souffrir du rejet continuel de la société ? Ici, un pauvre – je ne dis pas un miséreux – peut manger au restaurant, conduire une voiture délabrée et s'habiller de fripes sans que personne ne le juge parce que tout le monde le comprend. La liberté coûte moins cher qu'à Paris, à New York, à Genève ou à

Bordeaux et je préfère infiniment une société où la richesse est timide à l'arrogance de celle qui inscrit la liberté, la fraternité et l'égalité sur ses billets de banque. Car il est moins désagréable de dissimuler sa richesse que de cacher sa misère, et aucune société moderne ne devrait se vanter de l'humiliation qu'elle inflige quotidiennement à ceux qui peinent à gagner leur vie.

SE DÉPLACER, MANGER, DORMIR, VISITER

Se déplacer

COMPRENDRE LE QUÉBEC DANS SA VOITURE

En observant attentivement le rétroviseur, on apercevra l'inscription *Objects in the mirror are closer than they appear*, information typiquement rédigée par des avocats californiens qui nous annonceront l'année prochaine que ces objets se trouvent aussi *derrière* le véhicule. En cherchant bien, on trouvera également un pose-gobelet quelque part. Les gobelets en carton remplis d'un demi-litre de café vendus dans les stations de gaz (qui ne vendent que de l'essence) vont du mélange velouté au mélange noisette. La cuiller ayant disparu du continent, on mélange avec une mélangette, une remuette, une agitette en plastique après avoir versé le sucre en poudre car le sucre en morceau a également disparu. On pose ensuite un couvercle. Suis-je en train d'insinuer qu'il faudra chaque fois soulever le gobelet pour boire une gorgée? – et bien non: c'est à peine croyable et cela aurait effrayé Pythagore, mais un petit triangle se trouve dans un coin de la circonférence du couvercle. C'est là qu'on enfonce le plastique pour y introduire la mélangette qui sert aussi de paille. Pour récapituler: on mélange d'abord le café avec le sucre et le lait ou la crème (c'est exactement la même chose); on perce ensuite le petit triangle. On repose le couvercle sur le gobelet, on enfonce la paille-mélangette, et on s'en va dans son char en sifflant du Eddy Mitchell.

– Si on regonflait les pneus, plutôt que de siffler? demande Françoise.

– Est-ce que tu sais comment on dit ça, gonfler les pneus?
– Ça doit être gonfler les pneus.

En effet, chers Luc et Françoise, le terme est juste. Néanmoins, de nombreuses choses restent à éclaircir. Voyez-vous la station de gonflage? Généralement, elle se situe sur le côté du bâtiment. Disposez-vous de 25 cents? La machine est payante au profit des enfants inadaptés.

S'étant approchés munis de leur monnaie, Françoise et Luc s'aperçoivent soudain que le tuyau est raide.

– Le tuyau est complètement raide, dit en effet Françoise. On dirait qu'il est gelé.

Bravo Françoise! Il est effectivement gelé. L'exposition continue à moins 40°C a rendu ce morceau de caoutchouc impraticable. Vous êtes formidable.

– Réchauffe-le entre tes mains, conseille Luc qui ne perd jamais une occasion pour rappeler qu'ils sont en voyage de noces. Le frottement va dilater les molécules.

Erreur mon cher Luc! Il existe un moyen beaucoup plus simple, d'ailleurs indiqué sur la machine, juste en face de vous.

Luc s'approche et constate qu'en cas de gel, on conseille d'introduire le tuyau dans le pot d'échappement. Il s'y met aussitôt.

Françoise et Luc regardent, attendris, la station Petro-Canada. Elle prend son appareil numérique et photographie le tuyau dans le pot d'échappement tandis que Luc prend son air d'ingénieur. On entend tout à coup:

– Pour les tailleurs (*tire*), faut faire partir le char.
– Qu'est-ce qu'elle a dit, qu'est-ce qu'elle a dit? demande Françoise.

– Rien c'est pas pour nous. Ça doit être une pub pour un tailleur du coin. Bon ça fonctionne ce truc ou quoi?

Ah, ils commencent à geler eux aussi! Françoise entre dans l'échoppe pour faire pipi, quand la femme lui répète:

– Pour les tailleurs faut faire partir le char.

Françoise s'enfuit en courant, et en n'ayant d'ailleurs pas trouvé les toilettes.

– Ils sont dingues ici, ils font de la pub virale. Ils te sortent un slogan pour les tailleurs toutes les minutes.

Mais Luc s'impatiente car rien ne dégèle. Vais-je les aider?

Luc...? Lu-ûc? Pour dégeler le tuyau dans le pot d'échappement, il faut que le moteur tourne, sinon cela ne sert à rien.

Luc démarre la voiture. Notre couple semble sorti d'affaires. Pas vraiment pourtant.

– Putain, il n'y a pas de manomètre, s'écrie Luc.
– C'est quoi ça?
– Mais enfin Françoise, bordel, un manomètre c'est le truc qui sert à mesurer la pression du pneu. J'ai gonflé un maximum le pneu droit et à mon avis, j'ai mis trop d'air. Y sont malades ces Québécois, putain, il fait moins 50°.

Luc, calmons nous. La température n'a rien à voir avec les Québécois et si vous vous rendez dans la station, on va vous fournir un manomètre, mais il faut demandez une gage.

– Ça y est! s'écrie Luc en sortant et en brandissant sa petite tige comme s'il venait de découvrir du pétrole, j'ai trouvé le truc. Super cool.

Françoise n'entend rien car elle est entrée dans la voiture et a mis la radio à fond. Luc gonfle chaque pneu à 35 comme on lui a dit. Sa face est rouge, ses doigts raides mais ses yeux pétillent de joie quand tout-à-coup, voulant monter dans la voiture, son regard s'arrête:

– Françoise! C'est la merde.
– Qu'est-ce qu'il y a?
– On a un truc débranché dans le moteur. Viens voir.

Le couple découvre, sortant du capot, une prise électrique qui pend.

– On est foutu. J'ai du faire une fausse manœuvre et le moteur est démonté. On doit passer la nuit ici en attendant du secours. J'avais bien dit que ces bagnoles américaines ne tiennent pas la route…
– Mais c'est une Camry, Luc.
– Oui, mais c'est quand même fabriqué en Amérique. Bon rentrons à l'intérieur et appelons du secours.
– Ah non, moi je reste! commence Françoise. Elle va encore me parler de son tailleur et je ne sais pas quoi lui répondre.
– Mais t'es malade ou quoi? Il fait moins 60°, le moteur va exploser et nous sommes loin de toute civilisation.

Rassurez-vous, chers amis, ce fil qui pend est inoffensif. Il sert au contraire à réchauffer le moteur quand la voiture est garée: on le branche dans une petite prise prévue à cet effet dans nombre d'endroits.

– Luc? demande Françoise au moment de repartir.

- Oui?
- Je dois faire pipi.
- Encore?
- Il n'y avait pas de toilette à l'intérieur. J'ai regardé partout. C'est vraiment urgent.
- Tu ne peux pas aller dehors, tu resterais fixée à un stalactite, il paraît.
- Si tu essayais d'abord, pour voir?
- Mais moi c'est pareil, qu'est-ce que tu crois? On aurait l'air malin. Comment est mort Luc? Attaché à un glaçon d'urine. Putain les Québécois! C'est tout de même invraisemblable qu'ils n'aient pas prévu des installations sanitaires dans cette station et on ne nous a pas prévenu au consulat en plus.
- Et la dame des tailleurs, comment fait-elle? Elle ne se retient quand même pas toute la journée…Va lui demander; moi elle me fait peur.
- OK, j'y vais. Toi tu veilles sur la voiture, tu maintiens le chauffage à fond, et moi je fonce lui demander comment elle fait quand elle doit aller aux toilettes.

Revoyons cette scène. Quand Luc demande à la préposée ce qu'elle fait quand elle a un besoin, celle-ci, d'abord, ne comprend pas.

- Quand j'ai de besoin de quoi, vous voulez dire?
- Non pas deux besoins, un seul. Quand vous avez un seul besoin, vous faites comment?
- Mais un besoin de quoi?
- Un besoin de… d'aller uriner
- Et bien je vais à la salle de bain.
- Vous avez une salle de bain ici, dans la station?
- Ben oui.
- Bon écoutez, je suis désolé de vous demander ça. Je sais que c'est très gênant mais… Mais est-ce que ma femme pourrait

l'emprunter deux minutes? Elle est très propre et…
- Pas d'pantalon.
- Comment? demande Luc interloqué parce qu'il a mal compris.
- Ce s'ra pas long. Derrière à droite.

Elle lui tend une clé fixée à une immense planche en bois. Luc la remercie infiniment. Françoise l'embrasse tendrement quand il entre dans la voiture chaude. Vroum vroum vroum, fait la Camry, en route vers de nouvelles aventures.

LES AUTRES MOYENS DE TRANSPORT

La majorité des Québécois se déplacent en Camry mais certains préfèrent le transport en commun. Car le **bus** est à l'Amérique du Nord ce que le train est à l'Europe. Voilà une de ces phrases profondes comme on aimerait en lire plus souvent. Au Québec, il sert non seulement au transport personnel, mais aussi à celui des colis et des tourtières du Lac Saint-Jean, bref c'est une diligence confortable, munie de toilettes chimiques et branchée sur une radio romantique. En bus, on traverse la ville, la province, le pays et le continent tout entier puisqu'on peut aller jusqu'à Vancouver au départ de Montréal.

Il faut nécessairement déduire du paragraphe précédent que le **train** est au Québec ce que l'Orlyval est à Paris: un moyen de transport limité dans l'espace et peu connu des voyageurs. Le train québécois est lent, c'est pourquoi il sert surtout en vacances. Il prend alors le nom de sa destination: le Saguenay se rend au lac Saint-Jean, l'Abitibi en Abitibi (Senneterre), le Chaleur en Gaspésie en passant par la baie des Chaleurs, etc. Il ne partage avec nos trains européens que le caractère incompréhensible de ses tarifs, les «Flexi tarifs» aux variables multiples.

Tout autre évidemment, est le majestueux train transcanadien permettant de parcourir le pays comme si l'on voyageait sur une boîte de chocolats : forêts, lacs clairs, immenses prairies et montagnes enneigées pendant trois jours permettent de joindre Vancouver à Toronto à bord du «Canadian». On passe par Sioux Lookout, Portage La Prairie, Watrous et son lac Little Manitou plus salé que la mer Morte, on traverse des fuseaux horaires, des rivières à plus de 60 mètres de haut, et la nuit sauvage. Dans la classe «Le Train des Amoureux», on se croit dans l'Orient Express : la suite est tous les jours alimentée en fleurs fraîches, chocolats sur l'oreiller, et petit déjeuner au lit. En haute saison, le tarif pour deux personnes en aller-simple au départ de Montréal : 8000 dollars par couple. On peut revenir par Allo-stop.

Transcanadien : appelez le 1-888-842-7245 et si vous êtes sourd la ligne spéciale pour malentendants le 1-800-268-9503, J'AI DIT LE 1-800-268-95-03.

Beaucoup plus pénible comme moyen de transport, le **vélo** est décevant puisqu'il faut chaque fois remonter les pentes que l'on vient de descendre. Il reste très utilisé car le Québec est cyclable sur 3000 kilomètres, et on peut transporter cet engin ridicule en bus (514-843-4321, # 2685), en train (514-989-2626), et parfois en taxi. Le casque est recommandé, mais pas obligatoire, pas plus que l'immatriculation, ni les réflecteurs. Contrairement aux apparences, les cyclistes sont assujettis aux mêmes règles que les automobilistes et la police peut retirer des points de leur permis de conduire, y compris s'ils n'en ont pas encore (il faut que j'écrive cette phrase en majuscules sur un carton à l'arrière de ma voiture).

En hiver heureusement, plus personne ne parle de vélo mais de motoneige (Fédération des clubs de motoneige du Québec : 514-252-3076.)

Le **ski-doo** doit son appellation à la volonté de son inventeur, le québécois Bombardier, de créer un «ski dog», c'est-à-dire un traîneau à chiens mécanique. En 1922, il commence par monter un moteur de Ford T sur des patins et commercialise des modèles industriels avant la Deuxième Guerre mondiale.

Mais c'est son «Snowmobile», une sorte de bus à hublots capable de transporter 12 passagers, qui obtint un vrai succès commercial quelques années plus tard. Le véritable ancêtre du ski-doo, la motoneige individuelle, ne prendra son envol qu'à la fin des années cinquante et acquerra ensuite son statut de pétard des neiges (pour voir des Snowmobiles, se rendre au musée J. Armand Bombardier à Valcourt, Cantons de l'Est, (450-532-5300 et www.museebombardier.com).

À la suite des accidents provoqués par ces engins de malheur, la réglementation est devenue stricte: vitesse limitée à 70 km/h, casque obligatoire, et souscription d'une assurance de responsabilité civile d'une couverture de 500 000 dollars minimum. Sauf exceptions relativement nombreuses, on ne peut circuler sur un chemin public, ni le traverser. Enfin, le ministère des Transports recommande de s'assurer que le lac soit gelé avant d'y glisser, ce qui peut paraître stupide. Mais il faut préciser que, dans bien des cas, c'est le conducteur qui est gelé.

En principe en motoneige, quand on veut signaler au malade qui nous suit qu'il doit s'arrêter, il faut lever le bras gauche. Mais les freins se situent justement sur la manette gauche. Dès lors que faire? Lever le bras sans freiner, et donc courir au précipice en se sacrifiant pour les autres? Ou au contraire, freiner sans lever le bras puis mourir à deux (ou à 15) et finir en *ice cube*? Le gouvernement québécois s'est penché sur cette intéressante question et a déclaré qu'on devait lever le bras droit, plutôt que le bras gauche, pour signaler l'arrêt. Ce problème résolu, il en reste un autre: ne pas «caler», c'est-à-dire rester planté dans un mètre cinquante, ou deux, de neige. En théorie, on évite cette désastreuse situation par un mouvement anti-naturel, consistant à donner du gaz quand on s'enfonce. Lors de mes premiers essais, je pensais qu'il s'agissait d'une de ces bonnes blagues permettant de voir la tête d'un Belge dans une épinette noire, mais ce réflexe difficile à apprendre permet vraiment de dégager la machine. À défaut, elle se plante et il faut alors sortir la motoneige à la main avec de la neige jusqu'à la taille et la nuit qui tombe alors que le vent se lève. C'est pourquoi il est irresponsable de s'en aller tout seul en forêt sans prévenir quiconque.

L'**avion** intérieur, hors de prix au Québec, est indispensable pour se rendre dans plus de 30% du territoire. Les régions sont desservies principalement par :

- **Air Canada** (1-866-871-4797 et www.aircanada.com).
- **Air Satellite** (1-800-463-8512 et www.air-satellite.com) dessert la Côte-Nord, mais part également de Québec.
- **Pascan Aviation** (1-888-313-8777 et www.pascan.com) dessert 11 villes du Québec, au départ notamment de Montréal (aéroport Saint-Hubert). Un aller-retour vers Québec coûte environ 300$, et vers les Îles de la Madeleine 900$.
- **Air Inuit** (1-800-361-2965 et www.airinuit.com) dessert le Nunavik. Cette compagnie sympathique offre le «tarif pour tourtereaux» qui propose aux jeunes mariés une réduction de 75% (mais il faut qu'il s'agisse d'un «véritable amour», ils veulent dire un mariage avec certificat à présenter obligatoirement). Le «tarif compassion» vous offre une réduction si vous allez visiter un parent malade ou carrément mort. La réduction est de 75% s'il s'agit d'un parent proche (père, mère, frère, sœur), de 50% s'il l'est moins (oncle, tante, etc.). Pourquoi ces rabais? Parce que le vol aller-retour Montréal-Kuujuak coûte 4300$, ma tante se meurt.
- Heureusement **FirstAir** (1-800-267-1247 et www.firstair.ca) dessert Kuujuak chaque jour pour quatre fois moins, et sans escale : 1500$ l'aller-retour.

> - **Air Creebec** (1-800-567-6567 et www.aircreebec) dessert la Baie-James au départ de Montréal : Chibougamau, Chisasibi, Eastman, La Grande, etc. Un aller-retour Montréal-Chibougamau coûte à peu près le même prix qu'un aller-retour pour Paris.

Heureusement au Canada, on peut devenir pilote dès l'âge de 16 ans.

Obtenir une licence de pilote de loisir

Il suffit de :
- 48 heures de formation théorique
- un examen de 80 questions à Transports Canada
- un certificat de radiotéléphoniste (25 heures de formation pratique)
- un test en vol sous la supervision de Transports Canada

Coût : un peu plus de 6000 $
- Centre Pluridisciplinaire d'Aviation du Québec : 450-346-0188 et www.devenirpilote.com
- L'association des Pilotes de Brousse du Québec offre de très intéressantes ressources sur son site : www.labrousse.org

À défaut de piloter soi-même, on peut toujours appeler un avion-taxi (à peu près 1 dollar le kilomètre).

Le **bateau** permet de découvrir la splendide Côte-Nord et ses îles, notamment sur le Nordik Express, de Sept-Îles à Blanc Sablon. On découvre également certains aspects étonnants du Québec sur le **sexy boat**, organisant des croisières échangistes sur le Saint-Laurent (514-990-3113) alors qu'il est interdit de passer la nuit à bord d'un camping-car (« winnebago » ou « campeur ») sur les bords des autoroutes, dans les stationnements au bord des autoroutes, sur les aires de stationnements des grandes surfaces commerciales, etc. Ce moyen de transport demeure néanmoins l'un des préférés des Européens.

Manger

Commençons par les bons souvenirs. «Dans la colonie, écrit l'historien québécois Jacques Mathieu en parlant de la Nouvelle-France, la nourriture semble plus abondante qu'en France et de même qualité (…). Presque tous ont un potager, où ils cultivent les pois, les melons et de plus en plus les pommes de terre. En plus, la viande et le poisson sont disponibles presque à volonté. S'ajoutent, à l'occasion, du gibier et des petits fruits sauvages[7].» L'hiver ne mène pas systématiquement les paysans à la famine, contrairement à ce qu'on voit dans les films. «Je fus très étonnée, dit une baronne émigrée à Sorel au XVIIIe siècle, quand on me demanda combien de volailles, et surtout combien de poissons, il me fallait pour l'hiver. Je demandai où je mettrais ces poissons puisque je n'avais pas d'étang? – Au grenier, reprit-on, où ils se conserveront mieux que dans la cave.– En conséquence, j'y déposai trois ou quatre cents poissons qui se conservèrent frais et exquis, l'hiver entier. Tout ce qu'il y avait à faire quand nous désirions quelque chose pour la table, tel que de la viande, du poisson, des œufs, des pommes et des citrons, c'était de les mettre dans l'eau froide, le jour précédent. De cette façon, toute la glace s'en allait, et la viande devenait aussi juteuse et tendre qu'à l'ordinaire![8]»

Au XIXe siècle, on sert à Philippe Aubert de Gaspé un immense pâté en croûte «composé d'une dinde, de deux poulets, de deux perdrix, de deux pigeons, du râble et des cuisses de deux

---

7 MATHIEU J., *La Nouvelle-France. Les Français en Amérique du Nord, XVIe- XVIIIe siècles*, Les Presses Universitaires de Laval, 2001.

8 MONARQUE G., *Un Général Allemand en Canada: le baron FrieGrich Adolphus von Riedesel*, Éditions Édouard Garand, 1927.

lièvres, le tout recouvert de lard gras» ou encore «des poulets et des perdrix rôtis, recouverts de doubles bardes de lard, des pieds de cochon à la Saint-Menehould et un civet». Certes, il s'agit là de plats réservés aux gens riches. Mais cette image que nous avons d'une famine perpétuelle avant la Révolution tranquille est dénoncée par tous les historiens de bonne foi: le Québec, sous l'Ancien Régime et sous la domination anglaise, mangeait mieux que l'Europe. On avait importé des plats anciens, qu'on accommodait aux ressources locales. La tourtière par exemple, provient directement de la «tourte», ancêtre des vols au vent et des patés en croûte, qui composait l'un des principaux plats français du XVIIᵉ siècle[9]. De même la soupe aux pois, typiquement québécoise, utilise le principal légume de l'ancienne France depuis le Moyen Âge.

Mais aujourd'hui? Soupe aux gourganes, cipaille, fricassée de joues de morue, ragoûts de pieds de cochon, tourtières, où êtes-vous? Sur Internet, dans les guides touristiques, dans les dépliants, mais jamais dans les restaurants où je ne trouve qu'hamburgers, poutines et frites, pizzas congelées. De la graisse, partout, et le même goût toujours. On mange des *cheeseburgers* à côté de rivières poissonneuses, en face de la mer; on mâche des steaks hachés en pleine forêt en regardant, la bouche pleine de frites, les perdrix qui s'envolent, les orignaux qui passent, les canards qui ricanent, et on nous vend la poutine comme un plat «authentique» alors qu'elle n'a pas un siècle. En pleine nature, on ne peut goûter la nature; dans les régions, on se nourrit comme à Detroit, et à la mer comme à la ville. Dans cet immense garde-manger naturel, on cherche sa vie dans le congelé. Adieu soupe aux gourganes, cipailles, fricassées diverses et ragoûts de l'oubli: les Québécois ont perdu leur culture culinaire.

On va me dire qu'on trouve encore des plats gastronomiques dans les restaurants gastronomiques. C'est un peu comme dire, en

9 REVEL J.-F., *La sensibilité gastronomique de l'Antiquité à nos jours*, J.J. Pauvert, 1985.

Afrique, qu'il y a encore des lions dans les zoos. Ce n'est pas de la culture, c'est du tourisme. La cuisine du terroir, où est-elle? D'où vient que tout soit oublié, ou presque? Est-ce la réglementation, qui interdit aux chasseurs et aux pêcheurs de revendre leurs prises aux restaurateurs et aux particuliers? La télévision, qui a imposé de nouveaux standards? L'amnésie du passé, qui caractérise une partie de la population? La gêne de passer pour un colon en demandant des pattes de cochon? Un peu de tout cela sans doute. Octavio Paz, analysant la cuisine américaine, écrivait que les livres de recettes, la télévision et les émissions culinaires ont perverti la cuisine traditionnelle. «Elle est devenue ostentatoire et frauduleuse», employant, dans nombre de restaurants montréalais, des grands noms et des produits exotiques que personne n'a jamais goûtés pour faire croire aux talents du chef. Car décidément on ne veut pas faire simple. Dans n'importe quelle gargote de banlieue, la serveuse se précipite avec poivrier et fromage râpé pour nous faire croire à la gastronomie et aux suppléments gratuits. On affichera bientôt «poivre à volonté» pour attirer le chaland car on annonce déjà, à l'entrée des restaurants, «Laissez-nous vous assigner votre table», comme si on était à une visite médicale, et qui signifie en vérité «Attendez qu'on vienne vous chercher, on est en plein rush parce qu'on n'a pas engagé assez de personnel étant donné qu'on voudrait garder le maximum de fric.» Non, n'attendons pas, et franchissons ce petit tapis rouge, ces cordelettes prétentieuses et attachons-nous à nos assiettes. Sinon, dans quelques semaines, ils feront comme au restaurant du Casino de Montréal: il faudra attendre son ticket dans la file et, quand on l'aura enfin reçu, espérer qu'on nous appelle, tandis qu'à peine assis, une serveuse faussement gênée viendra nous demander d'encaisser tout de suite l'addition car elle a terminé son «shift» (horaire), tout en enlevant l'assiette de nos convives alors que certains n'ont pas commencé car ils attendaient, comme des crétins d'un autre siècle, que tout le monde soit servi. Si nous sommes au service des serveurs, réclamons un pourboire.

> Quand on n'est pas content du service au restaurant, l'usage est de laisser deux cents.

Bref on ne comprend pas que dans ce monde culinaire hypocrite, on compte tant de franchises : les restaurants St-Hubert, qui sont fiers de nous vendre du poulet dans un environnement sans fumée et vraiment affreux ; les restaurants Cora, tout aussi fiers de nous offrir des petits déjeuners « authentiques » dans un environnement sans fumeurs rongé par le marketing, censé nous faire avaler que Maman Cora (une sorte de maman Dion dans la confiture) se sacrifie à préparer des crêpes pendant qu'on s'amuse ; les restaurants Tim Hortons, toujours fiers de nous « offrir » des « combos » dans un environnement de retraités. Un combo est un truc qui s'appelait autrefois un repas : une soupe suivie d'un plat de pâtes et d'un dessert est un combo. En réalité, il s'agit plus précisément d'un *forfait* : un café plus un beigne est un combo, et coûte donc moins cher qu'un café, plus un beigne, qu'on achèterait ensuite. On vient immédiatement de gagner 15 cents, c'est grandiose. Ceci explique l'air affolé de la caissière à qui vous achetez 3 beignets, quand elle vient de vous expliquer que 15 beignets reviendraient moins cher car c'est le spécial du mardi – et que vous répondez non merci. Quoi d'autre ? Les Casa Grecque, qui offrent un peu de tout, mais toujours sous une montagne de riz, de pommes de terre et de salade. La Cage aux Sports, où l'on arrache avec les dents des ailes de poulet en regardant des matchs de boxe où d'autres se défoncent la mâchoire ; le Vieux Duluth qui s'engage sérieusement à proposer *unique dishes, generous portions of*, des portions généreuses de mets uniques, d'une qualité supérieure, à des prix très abordables » ainsi que le programme de fidélité « Primes Cootlag Au Vieux Duluth » permettant d'accumuler des points qu'on peut ensuite échanger contre de l'essence : et on va dire que c'est moi qui exagère.

À ces pitreries, j'avoue que je préfère encore La Belle Province, quand elle vend sans prétention hot-dog, frites grasses, hamburgers, poutine et déjeuners, n'affichant d'autre ambition que de caler l'estomac et d'offrir gratuitement la lecture du *Journal de Montréal.*

Recette traditionnelle de la soupe aux pois

Tu pognes 2 tasses de pois secs que t'as fait tremper pendant 8 heures dans de l'eau frette.

Tu les garroches dans une chaudière avec 8 tasses d'eau et 2 carottes rapées, 1 branche de céleri coupée, 1/4 de cuiller à thé de *baking soda*, 2 cuillers à soupe de saindoux et quelques herbes. Tu fais toute bouillir pendant une secousse, 10 minutes environ. T'arcouvres pis tu laisses ça ben mijoter pendant 3 heures 30 minutes. Tu sers drette.

Dormir

Quand Eddy Mitchell disait dans *La Fille du Motel* que «le client de la chambre cent / réclame encore des croissants» il ne pouvait parler d'un réel **motel** car il n'y a pas de croissant, et généralement pas de petit déjeuner dans les vrais motels.

Le vrai motel est une bâtisse laide à un étage où l'on entre dans sa chambre par l'extérieur, la voiture restant garée devant la porte: le trip au Québec consiste évidemment à partir à l'improviste, avec une liasse de billets de 20 dollars, pour faire plus épais, et à rouler vers le nord ou le sud, sans aucune préparation, ni aucune organisation. Sauf de savoir qu'on dormira dans un motel.

Comme font les acteurs d'Hitchcock, on paie avant, au cas où il faudrait s'enfuir d'urgence si le propriétaire arrive avec sa hache dans la salle de bain, et on paie peu: j'ai trouvé des endroits en Gaspésie où l'on débourse à peine 40 dollars pour une petite chambre avec salle de bain et télévision. On dort au bord de la route principale, et l'on entend le son des camions qui passent toute la nuit, comme dans les films.

Pour les Nord-Américains, le motel figure aussi en digne place dans l'imagerie sexuelle alors qu'il n'est pour Eddy et nous qu'un hôtel de passage. La chambre 231 du Motel Idéal (Laval, 450-625-0773) contient un poteau face au lit. À quoi sert ce poteau Hubert? À se trémousser autour comme une danseuse, Françoise. Dans la même chambre, on trouve des miroirs partout, un écran géant de télévision et des lampes rouges tandis que dans la 104, le lit, le miroir et la table sont en forme de cœur. Quand le Motel Capri (Repentigny, 1-800-361-7476) propose la chambre Diamant avec ciel étoilé de New York au dessus du lit et bain tourbillon en trèfle, le Motel Moulin Rouge (Mirabel, 450-430-2062) suggère l'Égyptienne disposant d'un simple bain tourbillon en coin ou la Royale (à cause du lit à baldaquin) avec piscine dans la chambre et miroirs au plafond spécialement conçus pour les gens qui ont une piqûre de moustique sur l'omoplate. Le Motel Fabreville (514-990-5919) possède également, outre une chambre nuptiale, des suites thématiques: la Romaine à cause des colonnes, et la Safari à cause de la «cage en acier inoxydable» (au cas où l'on emmènerait son canari, alors que l'importation d'oiseaux est soumise à une stricte réglementation). Il vous en coûtera chaque fois une poignée de dollars, à peu près 10 billets de 20 pour un court séjour, mais la plupart proposent des locations de quatre heures.

À l'opposé du motel se dressent les **Gîte du Passant**, **Gîte touristique**, **Café Couette** et **Bed and Breakfast**, couvrant sous ces dénominations différentes exactement la même chose. Certains de ces établissements sont de pures petites merveilles de décoration, de cadre et de goût; la patronne qui y habite et loue ses quelques chambres, prépare généralement un petit déjeuner maison. Là, Eddy peut enfin demander des croissants mais aussi des œufs bénédictine, du pain maison, des crêpes moelleuses et la note, car le prix de la chambre inclut toujours le petit déjeuner (voir le *bottin de survie*).

Visiter

Le Québec est le royaume des «centres d'interprétation» et l'empire des forfaits.

Les **centres d'interprétation** sont soit de véritables petits musées avec visites guidées, soit de simples pancartes recouvertes d'inscriptions, soit de petits tas de neige qu'il faut dégager pour ne rien pouvoir lire sous la couche de glace. Il y en a pour tous les goûts, partout et sur tout.

Centre d'interprétation
des centres d'Interprétation du Québec

DE L'AGRICULTURE ET DE LA RURALITÉ: Métabetchouan, ●
(Lac-Saint-Jean), 877-611-3633

DU CERF DE VIRGINIE: Sainte-Thérèse de la Gatineau (Outaouais),
819-449-6666

DES BATTURES ET DE LA RÉHABILITATION DES OISEAUX (faune des
milieux humides): Saint-Fulgence (Gaspésie), 418-674-425

DES MARAIS SALÉS (lieu de repos de la bernache et l'oie blanche):
Longue-Rive (Manicouagan), 418-231-1077

DE LA CANNEBERGE: Saint-Louis-de Blandford
(Centre-du-Québec), 888-758-9451

DE LA COURGE: Saint-Joseph-du-Lac (Laurentides),
450-623-4894

DE LA CHANSON: Petite-Vallée (Gaspésie), 418-393-2222

DE L'ARDOISE: Melbourne, (Cantons de l'Est), 819-826-3313

DES MAMMIFÈRES MARINS: Tadoussac (Manicouagan),
418-235-4701

DES TRACTEURS ANTIQUES (40 tracteurs à dater de 1918):
Saint-Romain (Cantons de l'Est), 418-486-2628

DU BISON: Île d'Orléans (Québec), 418-879-1234

DU PHOQUE : Grande-Entrée (Îles de la Madeleine), 418-985-2833

DU VENT : Cap-Chat (Gaspésie), 418-786-5543

DE LA LAVANDE : Stanstead (Cantons de l'Est), 819-876-5851

DE LA TÉLÉGRAPHIE SANS FIL : Gaspé (Gaspésie), 418-269-3310

DE LA VACHE LAITIÈRE : Compton (Cantons de l'Est), 819-835-9373

DE LA PÊCHE : Rivière-au-renard (Gaspésie), 418-269-3788

DE L'HISTOIRE SCOLAIRE DU QUÉBEC : Amos (Abitibi), 819-949-4431

DE LA BIODIVERSITÉ DU QUÉBEC : Bécancour (Centre-du-Québec),
819-222-5665

DU POULAMON (c'est un poisson) : Sainte-Anne-de-la-Pérade,
(Mauricie), 418-325-2475

DU HARENG FUMÉ : Havre-aux-Maisons (Îles de la Madeleine),
418-969-4907

DES CHAMPS ÉLECTRIQUES ET MAGNÉTIQUES D'HYDRO-QUÉBEC :
Montréal (Rive-Sud), 1-800-267-4558

DE L'AVENTURE BASQUE EN AMÉRIQUE : Trois-Pistoles
(Bas-Saint-Laurent) 418-851-1556

DE L'ANGUILLE : Kamouraska (Bas-Saint-Laurent), 418-492-3925

DE L'EAU POTABLE : Lac Saint-Charles (Québec), 1-418-849-9844

DE LA VIE CARCÉRALE : Trois-Rivières, 819-372-0406

Les forfaits

Les Québécois, fatigués de payer de la TVQ sur la TPS et des
«frais cachés» sur les prix annoncés, adorent qu'on leur dise combien ça va coûter exactement : ils consomment donc abondamment des forfaits. Il en existe dans tous les genres et pour tous les
produits : chasse, location de voiture, restaurant, hôtel, excursions, repas, voyage à New York, mariage à Las Vegas et enterrement d'un «parent cher». Évidemment, il ne faudrait pas en tirer
la conclusion que les forfaits soient forfaitaires. D'une part, ils
comprennent rarement les taxes car il est difficile de se départir
de ses vieilles habitudes. D'autre part, on doit distinguer entre for-

faits «européens» (incluant généralement les repas), et forfaits ou «plans américains» qui ne les incluent pas. Dans cette classification fantaisiste, il existe heureusement une règle absolue: les forfaits «romantiques» prévoient toujours un bain tourbillon, car romantique signifie sexuel. En résumé...

– Attendez, attendez, là, vous venez de dire quelque chose de très important. Ici, romantique signifie «sexuel», c'est bien ça? demande Luc.
– Qu'est-ce que ça peut te faire, interrompt Françoise, depuis quand t'intéresses-tu au romantisme?
– Non mais justement, il dit que ça veut dire sexuel. Donc un petit déjeuner romantique, ça veut dire... C'est quoi par exemple un déjeuner sexuel?
– Un déjeuner dans un bain tourbillon.
– Mais c'est dégueulasse, s'écrie Françoise, comment peut-on manger des croissants dans des bulles?
– Françoise, Hubert vient de t'expliquer qu'il n'y a pas de croissant dans les motels, c'est bien ça, Hubert? D'ailleurs je te signale qu'un croissant est plein de bulles, ce sont des molécules d'air qui...
– Mais il ne te parle pas de motel, il est en train de nous expliquer les bi and bi. Dès que tu entends le mot sexuel, tu oublies tout, toi, c'est comme hier soir pendant les infos.
– Romantique ne signifie pas exactement «sexuel» mais plutôt «sensuel», dis-je, si je peux me permettre. D'une certaine manière, mais sans prendre aucune responsabilité vis à vis de l'industrie hôtelière, on pourrait affirmer que tout, dans un tel forfait, invite aux jeux sensuels.
– À faire l'amour, c'est ça? demande Luc.
– Pas seulement.
– Évidemment, intervient Françoise, comment veux-tu qu'un hôtelier force une femme à faire l'amour. On n'est pas dans le Troisième Reich. Vous voulez parler des préludes et des post-

ludes, c'est ça?

- C'est quoi des «poste ludes»?
- Laisse Hubert répondre à ma question, il n'arrive jamais à placer un mot, alors qu'il a écrit un livre pour les Européens à Montréal. Des postludes sont des préludes qu'on fait après.
- C'est complètement con ce truc.
- Bon... Hubert?

Je continue. Certains établissements ajoutent au forfait romantique un tour en calèche dans le Vieux Québec, un «jeu sensuel» genre scrabble érotique déposé sur la couette, du mousseux dans le frigo, du chocolat sur l'oreiller, etc. Dans le Forfait *Massage et Peignoir* de l'hôtel La Sapinière (1-800-567-6635), on peut se faire masser et emporter le peignoir (ce qu'on fait de toutes façons). L'hôtel Germain de Montréal (1-877-333-2050 ou 514-849-2050) crée sur demande un lit de pétales de roses et dépose un bouquet de six roses rouges dans la chambre pour 150 dollars de plus, car c'est finalement un forfait à supplément (plus taxes). J'ai calculé qu'il est beaucoup moins onéreux d'apporter soi-même le bouquet. Il suffit d'attendre qu'elle regarde le cours du Nasdaq sur TVA Argent pour faire un jeté printanier dans la chambre.

Mais pour moi, le plus romantique de tous les hôtels que j'aie pu voir au Québec, et aussi l'un des plus beaux, se trouve au bord du lac Chibougamau. Le Domaine de la Mine d'or (418-770-7679) est un ancien chalet des gérants de la mine Campbell. Il ne contient que quatre chambres. Un endroit absolument magnifique.

D'autres forfaits sont réservés à des occasions plus spéciales. Le forfait *Cigogne* de l'Auberge du Lac Taureau (1-877-822-2623) en Lanaudière, propose aux femmes enceintes outre deux nuits d'hôtel, un massage d'une heure, de la réflexologie, de la pressothérapie, de la pédicure, des soins du visage et des mains à la paraffine, et un cadeau-surprise. En pleine crise de divorce, ou même juste après le jugement concernant la pension alimentaire, les hommes peuvent essayer le Forfait *Je Me Sens Bien* à l'Euro-Spa, dans les Cantons de l'Est (1-800-416-0666), contenant un accès au spa, un buffet et deux traitements au choix entre le massage et un traitement esthétique. L'hôtel Days Inn à Québec (1-800-463-1867) investit dans la sociologie avec le Forfait *Babyboomers* en vacances à Québec. *Babyboomer* est un terme très employé au Québec pour expliquer une quantité de phénomènes (la programmation de TQS, l'échec scolaire et le trou dans la couche d'ozone, par exemple). Le forfait ici proposé à ces criminels inclut une croisière sur le *Louis Jolliet*, un certificat-repas qui certifie que vous pouvez manger pour la somme forfaitaire de 50 dollars et une entrée au musée de la Civilisation de Québec. Ceci, en plus de la nuit à l'hôtel et d'un petit déjeuner également forfaitaire (on peut manger tout et en reprendre car il s'agit d'un «déjeuner santé» c'est-à-dire avec jus d'orange).

Enfin, les plus étranges forfaits du Québec permettent de réaliser d'étranges forfaits, je ne pouvais pas la manquer. À Waterloo dans les Cantons de l'Est (Safari Loowak : 1-888-677-0501), un groupe de terroristes a enlevé le président. Son but : prendre le contrôle de la compagnie. Seuls les maîtres de la ruse et du camouflage (nous, les participants) reviendront victorieux de cette mission. Chaque équipe doit déléguer des tâches et responsabilités, les suivre à la lettre, et faire preuve d'un sang froid à toute épreuve (Forfait l'*Enlèvement du Président*). Dans le cas du forfait *Mission Shooper*, on vous transporte même en hélicoptère. Votre commando est convoqué à un *briefing* sur une mission secrète consistant à vous infiltrer dans le réseau terroriste et à le démanteler. Après avoir assimilé les consignes et les rudiments de son équipement, le commando quitte la base en hélicoptère pour y accomplir sa mission. Chaque aventure dure quelques heures. Si on y allait demain ? Qu'en dis-tu, Françoise ?

MONTRÉALISME

Plutôt que de se pencher sur les nids de poule, on ferait mieux d'analyser les couveuses: Montréal et le Québec entier sont en effet occupés à enrichir considérablement la culture francophone. Non seulement la chanson, bien sûr; mais tous les arts dont on parle moins. Montréal a créé un courant que j'ai baptisé le mont-réalisme parce qu'il décrit avec une sorte de crudité nouvelle la société post-moderne et ses errances, ses rapports de couple, les espèces en péril et les sentiments en débâcle, en ajoutant à ses créations le pragmatisme pour les diffuser.

Des peintres de toute l'Amérique s'extasient devant la beauté du monde et la peignent à Baie Saint-Paul et sur la Côte-Nord. Des conteurs urbains réinventent la magie quotidienne dans des salles pleines, sans parler des sculpteurs, des dramaturges, des acteurs, de ceux qu'on sort de l'oubli (André Mathieu, somptueux compo-siteur retrouvé par Alain Lefebvre), ceux qui nous mettent le nez en l'air, comme Hubert Reeves, et ceux que seuls les étrangers connaissent, telle Marie-Nicole Lemieux. On crée ici, sans que per-sonne ne semble l'avoir remarqué, une conscience du monde nou-velle aussi bien dans sa représentation que dans sa célébration.

Et il me semble que tout le monde crée: mon voisin immédiat, un artiste haïtien, expose dans une papeterie; mon voisin d'étage gratte la guitare tous les dimanches jusqu'à trois heures du matin; deux étages plus bas vit un pianiste russe professeur à McGill, grand amateur de vodka et compositeur brillant; un autre pianis-te, au rez-de-chaussée, répète inlassablement les *Variations Goldberg* chaque fois que je descends à la «salle de lavage». Un danseur de Paris, à deux mètres de celle-ci, joue les travestis en attendant un autre job et en face de chez moi, un soprano chante fenêtres ouvertes le samedi matin et ne se doute pas que chaque semaine j'attends son concert.

Sans compter bien sûr tous ceux que je fréquente, écrivains, poètes, compositeurs, chanteuses, peintres, photographes et philosophes. Cette effervescence transforme peu à peu Montréal en New York des années soixante-dix mélangé au Montmartre du XIXe siècle: on vient de décerner le titre de capitale canadienne des artistes à la ville.

Derrière ces créateurs se trouvent des montréalistes qui s'occupent de «la business» avec une énergie sans pareille, investissent l'Europe comme des stratèges et occupent l'Amérique comme des Jules César. Des milliers de gens encouragent la culture au Québec, les Québécois ont transformé leur fête nationale en fête de la musique, bref ce pays, qui se croit opprimé depuis toujours, s'exprime comme personne.

Ce montréalisme a donné des leçons à la France, en passant des incantations à l'action, de l'exception culturelle parisienne à la diversité culturelle québécoise, active en Europe, en Afrique et à l'UNESCO. Et tout ceci au sein d'un Canada qui n'a prononcé le mot culture, lors de sa dernière campagne électorale fédérale, que dans celui d'agriculture. Oui, il y a de quoi être fier, applaudir, standing ovationner. Et dans vingt ans, si Dieu me prolonge, quand on me parlera des années 2000, je serai le premier à dire, en me levant fièrement à propos du Québec: je me souviens.

Principals festivaux

Le Québec organise 325 festivals par an.
Festival des Très Courts (Québec): concours de films de trois minutes maximum (http://trescourt.com)
Festival international de l'auto de Montréal: 514-331-6571
Festival Montréal en Lumières: 514-288-9955
Festival International du Film sur l'Art: 514-874-1637
Festival des oiseaux de Montréal: 514-863-3000

Festival du cheval de la Baie-James : 819-941-4166

Grand Prix Air Canada : 514-350-0000

Mondial de la bière : 514-722-9640

Fête nationale du Québec : 514-849-2560

Festival international de Lanaudière : 450-759-7636

Rencontre des Lents d'Amérique (séances de bâillements, yoga, etc. À Montréal, tous les 21 juin, sous la statue de Félix Leclerc).

Présence Autochtone : contes et légendes sous les tipis, peinture des chevaux, cuisson de la banique (pain autochtone), en juin.

Woodstock en Beauce : un des plus grands festivals extérieurs de musique au Canada : www.woodstockenbeauce.qc.ca

Festival de la gibelotte de Sorel-Tracy (la gibelotte est une sorte de pot au feu avec du poisson, et il y a aussi des chanteurs) : www.festivalgibelotte.qc.ca

Festival du papier (concours de bûcherons et défilé de créations de papier) : Windsor, Cantons de l'Est, www.festivaldupapier.qc.ca

Festival de l'omelette géante de Granby (15 000 œufs) : 450-275-2331

Festival des fromages (le plus important événement canadien consacré aux fromages fins) : À Warwick. www.festivaldesfromages.qc.ca

Jeux des 50 ans et plus (rassemblement sportif des gens de 50 ans) : à Sainte-Anne des Monts (Gaspésie), www.urlsgim.com

Festival de show de boucane de Saint-Cyprien (concours annuel où les automobilistes tentent de faire le maximum de fumée en faisant crisser (« spinner ») ses pneus) : en juillet, www.st-cyprien.qc.ca/otj/index.html

JUILLET

Festival d'astronomie populaire (au mont Mégantic) : 819-888-2941 et www.astrolab.qc.ca

Festival de Lanaudière (festival de musique classique de réputation internationale) : www.lanaudiere.org

Festirame (42 kilomètres de course en barque à rames sur le lac Saint-Jean) : 418-662-4083 et www.festivalma.com

Festival international de Jazz de Montréal : 514-871-1881 et www.montrealjazzfest.com

Festival de la truite (à Saint-Philémon) : 418.469 3765 et www.festivaldelatruite.ca

Festival Juste pour rire : 514-790-4242 et www.hahaha.com

Festival du doré de la Baie-James : www.festivaldudore.com

Festival international Nuits d'Afrique : 514-499-9239

FrancoFolies de Montréal : 514-876-8989

Célébration de la Fierté Gaie et Lesbienne : 514-285-4011

Masters de tennis du Canada : 514-273-1515

Merveilles de sable de Gatineau (Sculptures sur sable) : 1-800-265-7822 et www.ville.gatineau.qc.ca/fete

Mondial des cultures de Drummondville (world musique) : www.mondialdescultures.com

Mondial des amuseurs publics Desjardins (humour, cirques, etc. à Trois Rivières) : 819-378-6506 et www.mondialamuseurspublics.com

Festiblues international de Montréal : 514-377-8425

Compétition internationale de châteaux de sable (parc Lafontaine) : 514-522-2552

Août et septembre

Festival du bleuet (au lac Saint-Jean évidemment) : 418-276-1241 et www.festivaldubleuet.qc.ca

Festival des Films du Monde de Montréal : 514-848-3883 www.ffm-montreal.org

Festival du cochon (à Sainte-Perpétue) : www.festivalducochon.com

Les Fêtes de la Nouvelle-France dans le Vieux-Québec : www.nouvellefrance.qc.ca

Festival international de musiques militaires de Québec : 1-888-693-5757 et www.fimmq.com

International de montgolfières de Saint-Jean-sur-Richelieu : www.montgolfieres.com

Festival western de Saint-Tite (près de Grand'Mère, rodéo, danse country) : www.festivalwestern.com

Festival du lait de la MRC de Coaticook : 819-849-3682

Festival du coureur des bois de Saint-Urbain (organisé pour faire connaître les différents aspects de la vie des coureurs des bois) : www.charlevoix.net/coureurdesbois/index.html

Festival international de la galette de sarrasin de Louiseville : 819-228-9993

Le Woodstock du trappeur (à Sainte-Geneviève) : 418-872-7644

Festival du cow-boy (à Chambord) : 418-342-1223

Festival des épouvantails (à Métabetchouan) : 419-349-3633

Omnium Canadien Bell : 1-800 571-OPEN

Octobre

Festival international de nouvelle danse : 514-287-1423 et www.festivalnouvelledanse.ca

Coup de cœur francophone : 514-253-3024

Festival de l'oie blanche (pour fêter l'arrivée de l'oie blanche dans la région de Montmagny où elles passent en émigrant) : 418-248-3954 et www.festivaldeloie.qc.ca

QUÉBEC VILLE FORTIFIÉE

– Dans le cadre de son prochain ouvrage, Monsieur Mansion sou-
haiterait séjourner quelques jours dans la Ville de Québec.
Celle-ci serait-elle disposée à le recevoir ?
– Qu'entendez-vous par «disposée à recevoir»? répondit le lendemain par courriel la Ville de Québec.

Quand on se vante sans cesse d'être «la seule ville fortifiée
d'Amérique du Nord» (au bord d'un fleuve puissant et majestueux), on finit par prendre les étrangers pour des assaillants.
«Disposée à recevoir» signifiait me faire visiter la ville, me montrer les installations prévues pour les immigrants et organiser des
réunions avec des responsables de quelque chose. Des mots «dis-
posé»: vouloir être utile, et «recevoir»: accueillir. Mais Québec
n'était pas disposée à me recevoir, c'est pourquoi je pris la 20 Est
et décidai d'habiter quelque temps dans la «capitale nationale».

En géographie, une capitale attire les étrangers et les nationaux
parce qu'il s'y passe plus de choses qu'ailleurs. Mais à Québec, il y
a les fortifications: des millions de gens adorent regarder des
murs. «Vous allez adorer Québec» est donc la phrase que les
Québécois disent aux touristes européens comme si, à peine
débarqués sur le nouveau continent, l'ancien leur manquait.

En raison de celles-ci sans doute, Québec est également le siège
du Festival international de musiques militaires qui ne servent
plus à rien, le siège des fonctionnaires que l'on dit trop nombreux
et l'heureuse propriétaire des plaines d'Abraham, lieu bien tondu
d'une défaite humiliante où l'on fait du jogging. On y emmène les
Français admirer ce qu'ils peuvent voir n'importe où en Europe:

des vieux murs, des canons et des étudiants en costume du XVIIIe siècle, occupés à rembourser leur carte Visa. Les visiteurs remontent dans le car en répétant pendant une demi-heure que ça ressemble à Saint-Malo et maintenant allons à l'Île d'Orléans patrie de Félix Leclerc (moi mes souliers).

Ne ferait-on pas mieux d'organiser une visite de la mentalité de Québec? Si j'avais une agence de voyage, je m'arrangerais pour présenter à mes touristes des indigènes auxquels ils pourraient poser toutes les questions imaginables. Moyennant rémunération, les habitants des villes que je traverserais avec mon bus devraient accepter également qu'on visite à l'improviste leur frigo, leur chambre à coucher et leurs rêves. On pourrait venir manger à leur table sans les prévenir, s'installer devant la télévision en posant des questions sur la télésérie incompréhensible qu'ils regardent, leur demander d'expliquer de manière logique et dans le temps imparti par l'Agence (moi) pourquoi ils rient devant Les Denis Drolet; voir où ils en sont dans leur compte en banque; examiner les bulletins des enfants, exiger de regarder des photos de famille, observer comment ils font l'amour, et en compagnie d'un psychiatre agréé, mettre à jour leurs complexes, leurs questions existentielles et leur avis sur l'indépendance du Québec. Je ne parle pas, évidemment, d'habitants costumés en Iroquois en train de boire une Labatt Bleue, mais de vrais habitants, que l'on pourrait surprendre dans leur vraie vie, accompagner au travail, examiner dans le quotidien et l'intimité.

À quoi sert en effet de visiter des fortifications qui sont finalement à une ville ce qu'une ceinture est à un homme? Connaît-on un être humain quand on a analysé sa ceinture, laquelle, en l'occurrence, ne sert plus à rien depuis longtemps?

Pourquoi expliquer que Québec est divisé en ville haute et ville basse mais que cette distinction autrefois sociale n'existe plus, puisque ça n'existe plus? Les gens sont assez grands pour remarquer qu'il y a une dénivellation. Pourquoi dire que la Basse-Ville a été ravagée par un incendie en 1682, à des gens qui se sont peut-être brûlé le poignet en sortant du four une pizza en 1972? Et pour en finir avec les fortifications, pourquoi en faire un plat alors qu'elles n'ont servi à rien, face aux Anglais? À votre gauche, un canon qui n'a jamais fonctionné: en face, un arc à flèche pourri et derrière vous un chemin qui ne mène nulle part. Et maintenant, tous à la crêperie bretonne, il pleut. Mon Dieu, que j'ai horreur de ces visites, dans ces calèches tirées par des chevaux «stones», ces bus conduits par des chauffeurs qui se prennent pour des pilotes de ligne et bondés de gens qui mangent une pomme! Pourtant, il y a pire encore: les visites à pied le dimanche matin. Existe-t-il des gens qui apprécient sincèrement ces visites, ou font-ils semblant parce qu'ils s'y croient obligés, comme aux gondoles à Venise ou la tartiflette en haute montagne?

Bref, mon Agence est beaucoup mieux. «Bonjour madame, ici le forfait *Tout Savoir*, montrez-moi immédiatement votre tenue de jardinage. Décrivez-moi, en cinq points et en français international, les avantages et inconvénients de la vie dans la capitale nationale, en me réchauffant ce que vous avez mangé hier soir.»

En sortant du micro-ondes une lasagne Choix du Président, l'indigène, pour décrire Québec, commencerait par démolir Montréal. C'est une manie chez les gens de Québec. Et elle dure depuis la fondation de Montréal: les habitants de la ville fortifiée s'y opposaient car ils craignaient que ce nouvel établissement ne la supplante et ne lui arrache le commerce de la fourrure.

«C'est ben plus calme que Montréal icitte» serait donc l'une des premières constatations de cette résidente de Québec, car c'est à peu près ce qu'ils disent tous.

Comme le forfait *Tout Savoir* exige une réponse précise des «participacteurs» (c'est ainsi que je les désigne car je suis le roi de la formule qui frappe) pour que le solde de leur rémunération leur soit versé, la Québécoise serait repoussée dans ses derniers retranchements au-delà des fortifications, pour cracher sa Valda:

– Je veux dire, y a pas de délinquance, y a pas de trafic comme à

Montréal, c'est tranquille.

- Hey, Germaine, crie Louis, t'as-tu compris ce que l'Monsieur t'a dite? On est des participacteurs, nous autes. On doit dire les vraies affaires. T'as pas d'affaire à conter d'la broue. Dis-leur don c'que tu penses pour de vrai.
- Ben y' a pas trop de... voyons... comment qu'on appelle ça Louis?
- Des ethnies. A veut dire qu'y' a pas d'ethnies icitte. À Montréal t'es plus chez toi pantoute, ciboère, tu t'croirais en Afrique tabarnak.

J'explique à Luc, mon visiteur, le concept un peu complexe de l'Afrique-tabarnak dû à l'immigration haïtienne, tout en enlevant sur mon petit carnet bleu 5 dollars au couple Tremblay, car j'avais bien insisté sur le français international. Comme il est trois heures, la jeune fille de la maison rentre de l'école. C'est une punk hip-hop post-moderniste qui ne supporte pas ces considérations. Elle prend une bière dans le frigo.

- Ma parole, dit Luc qui n'a jamais rien vu, vous avez un clou dans la langue!
- C'pas ça qui l'aide à accrocher ses affaires dans sa chambre, reprend Louis que j'avais sélectionné parmi les participacteurs pour son sens de la diplomatie.
- Hey, c'est du *percing* maudite marde. Oh scuzez! fait-elle soudain en me regardant, car elle aussi avait perdu 15 dollars la semaine dernière. Tu veux-tu?

Elle a en effet le droit de s'allumer un joint en tant que participactrice, et c'est d'ailleurs afin de les payer qu'elle a accepté de participer au forfait. Luc lui demande ce qu'elle pense de la vie à Québec.

- Ben c'est ben mieux qu'à Montréal. T'as pas de smog, dit-elle en recrachant la fumée. Les Montréalais y m'anarvent. Y savent toujours toute, y ont toujours un mot à dire sur toute. Et puis ça pue à Montréal.

- Et le clou, ça ne vous fait pas mal quand vous mangez de la tarte au sucre?

Mélanie regarde soudain fixement sa mère en lui demandant pourquoi elle lui a caché sa tarte au sucre et pourquoi, d'ailleurs, elle lui dissimule toujours tout depuis qu'elle est née. C'est le moment de faire mon chèque.

Dans la rue, j'explique à Luc que Québec, au dire d'un expert que nous n'aurons pas le temps de rencontrer car il est à Montréal, «est devenue la victime de son confort et de sa qualité de vie[10]». Sans doute, cette ville nous semble exiguë et provinciale, car nous venons des grandes agglomérations européennes. Mais pour les Québécois qui vivent en région, l'exiguïté de la capitale rassure. «Pour un Québécois francophone qui vit ailleurs en région, avec un beau gazon et une belle voiture dans sa cour, il n'est pas très intéressant d'aller vivre au milieu des ethnies dans une ville de pauvres, sale, à côté du garçon du dépanneur qui est d'origine vietnamienne» dit un universitaire québécois, à propos de cette attirance. Les gens de la campagne préfèrent donc largement Québec à Montréal.

Par ailleurs, les gens de Québec reprochent à ceux de Montréal ce que ceux-ci dénoncent chez les Français. Et les Montréalais estiment que la seule chose qui manque à la capitale est un train express pour en partir. Bref, Québec somnole comme une douillette ville de province où l'on craint les étrangers. On y trouve toutes ces petites choses retardataires qui en font le charme quand on y passe trente secondes. Au coin de Saint-Joseph et

10 *Le Soleil*, 13 novembre 2004.

Cartier, je fais remarquer le menu du jour du restaurant Jacques Cartier :

Soupe spirales + tomates
Macaroni à viandes
Dessert du jour
7 $ taxes comprises

Le Pat Rétro, une vraie gargote où l'on trouve les meilleures frites de Québec, selon les Québécois ; la chaîne de fast-food Ashton qui n'existe qu'ici, enfin des tas de choses qu'on ne verrait pas à Saint-Malo.

Pourtant depuis peu les choses bougent. On suggère à la population de rebaptiser la 4ᵉ rue en rue des Coccinelles et la 5ᵉ rue deviendrait carrément la rue des Charançons, sans craindre le préjudice psychologique que cela pourrait causer aux riverains. Un geste courageux qu'il faut souligner. Bien mieux, la Ville organise des missions d'autopromotion en Roumanie, en Bulgarie et à Hong Kong. Elle a élaboré un CD-Rom en français, en anglais, en espagnol et en portugais pour attirer les étrangers à venir s'y établir ; les fonctionnaires multiplient les programmes d'insertion : *Familiarisation des nouveaux arrivants aux services municipaux*, *Projets d'hébergement temporaire pour nouveaux arrivants*, *Inventaire des minorités visibles et ethniques* (au Québec on n'ose jamais employer le mot étranger), *Programmes de stages pour immigrants*, *Sensibilisation des propriétaires aux réalités de la clientèle immigrante* et *Activités de rapprochement interculturel*[11]. Québec a créé la *Quinzaine latino-américaine*, les *Portes Ouvertes Centre Culturel Islamique*, un week-end grec, une journée culturelle africaine et un tournoi de football des Nations. Il est extraordinaire de voir à quel point l'administration fait exactement le contraire de ce que souhaite la population.

11 *Québec, mon choix de vie*, Ville de Québec.

Car que pense un Québécois lorsqu'il visite l'activité *Les Québécoises et Québécois musulmans vous accueillent* organisée avec l'argent de ses taxes? J'ai oublié de le demander dans mon forfait *Tout Savoir*. Que ressent Odette Laframboise, 79 ans, quand elle mène ses petits-enfants à l'exposition *Ouvre ta fenêtre sur les autres* ou au 75 ateliers, aux 10 activités de rapprochement interculturel, à la *Fête du Têt*, au *Mois des Noirs*, à la *Soirée arabesque*, la *Semaine camerounaise*, la *Danse folklorique rwandaise*? La pauvre Odette! Je la vois traverser les tchadors et les rouleaux de printemps, bousculée dans le vacarme des bongos et des flûtes de Pan, et arriver en nage, noyée, perdue, pour demander dans un dernier soupir à la première Philippine assise quelque part en costume traditionnel: «T'aurais-tu une poutine?» Comme elle doit se sentir étrangère dans sa ville! Rêve-t-elle, la nuit, de musulmans mangeant des sushis, de vietnamiennes tapant des tam tam, ou de Rwandais dévorant des Haïtiennes? Et le matin, chez son dépanneur pakistanais, se sent-elle obligée de saluer les mains jointes pour remercier pour le Coca?

Jerusalem à Québec

Le «Cyclorama de Jérusalem» représente, sur 110 mètres de circonférence et 14 mètres de haut, la ville de Jérusalem à l'époque de la crucifixion. Le visiteur de promène dans une sorte de gigantesque trompe l'œil orientaliste peint par le Parisien Paul Philippoteaux à la fin du XIXe siècle. Un spectacle y est représenté en permanence. À Sainte Anne-de-Beaupré, à côté de la Basilique: 418-827-3101 et www.cyclorama.com

Car toutes ces manifestations ne sont pas, évidemment, la preuve que la ville de Québec soit ouverte aux étrangers: s'il y en a tant, de ces activités, c'est justement parce que les habitants n'en veulent pas (les immigrants de Québec ne représentent que 3,3% de la population contre 18% à Montréal). Ce n'est pas du racisme et ce n'est pas québécois mais plutôt le réflexe nerveux de toutes les petites villes du monde. Et je comprends cela parfaitement. Allez expliquer à Odette que le déficit public et la chute démographique imposent un afflux massif d'immigrants: est-ce sa faute à elle si les finances de l'État ont été gérées avec tant de légèreté, et si les femmes ne font plus d'enfants? On l'a éduquée dans l'authenticité québécoise, la peur de l'étranger et le catholicisme. Maintenant, elle doit accepter avec enthousiasme le Rwanda, la nourriture vietnamienne et l'Islam. On peut faire des discours sur la tolérance entre les peuples, l'ouverture du cœur et l'intelligence émotionnelle: moi je trouve que c'est pas superlefun, son affaire…

MYSTÉRIEUSE ANTICOSTI (PLUS TAXES)

Notre petit avion entre dans les nuages, nous secoue, puis se pose sur l'aérodrome d'Anticosti. Il n'y a ni tour de contrôle, ni avion, ni bagagiste. En fait, à Port-Menier, il n'y a personne.

Nous ramassons les bagages que le pilote, un Croate qui fait aussi office d'hôtesse de l'air, prend dans le nez et dépose sur la piste. Au fond à gauche, près de la petite porte, se tient un homme en habit kaki. Il est en short avec des chaussettes peinant jusqu'aux mollets.

– Bienvenue à Anticosti! Je m'appelle Guy et je suis votre guide.

Son sourire est éclatant de blancheur sur un fond de peau basanée qui a connu les moustiques.

– Nous allons déposer les bagages dans la vanette et nous rendre au bureau de l'enregistrement.

Il n'y a personne non plus dans le stationnement de l'aéroport à part notre petit groupe autour de la «vanette», une camionnette blanche de huit places à l'air climatisé, au nom de la SÉPAQ. Une des voyageuses, ne voulant sans doute rien manquer du paysage, s'engouffre à l'avant pendant que nous sommes encore près des valises. Guy ferme le coffre et s'installe. À peine assis, il passe autour de sa tête quelques fils électriques qu'il branche dans sa radio et ses oreilles, puis nous parle au micro:

– Est-ce que tout le monde m'entend bien? Eh bien voilà, bienvenue à Anticosti (il l'a déjà dit). Je vais demander à chacun de se présenter en donnant son nom, et en expliquant pourquoi vous êtes à Anticosti.

– Je m'appelle Hubert et je suis ici pour écrire un guide, dis-je, car on commence par ceux qui sont assis à l'arrière.

Ma voisine, une végétarienne qui ne boit jamais de café, explique qu'elle a toujours voulu visiter l'île et qu'elle souhaite voir des chevreuils (les Québécois disent chevreuils pour cerfs). C'est à peu près le cas de tout le monde. Ils ont toujours voulu voir Anticosti pour ses chevreuils. J'ose à peine préciser que je suis ici plutôt pour Henri Menier, quand le guide reprend très fort car il a un micro et pas nous :

– Bienvenue à Anticosti. Je m'appelle Guy et je suis votre guide naturaliste pour ce séjour. Je répondrai à toutes vos questions pendant le voyage et vous ferai visiter l'île d'Anticosti et ses mystères, car Anticosti est une île mystérieuse. Comme je l'ai dit tout à l'heure, nous allons maintenant nous rendre vers l'accueil pour l'enregistrement et ensuite nous filons à la baie Mac Donald.

– Y a-tu un McDonald icitte? demande subitement la Québécoise qui est assise à l'avant, en pensant à sa copine végétarienne qui l'accompagne.

– On me demande s'il y a un McDonald, reprend le guide dans son micro car il a la bonne idée de répéter la question que personne n'a entendue avant de dire la réponse que tout le monde doit écouter. En fait non, c'est juste un lieu-dit. Voilà, nous sommes rendus au chalet d'accueil. Vous allez recevoir des tickets à remettre au restaurant.

Aux alentours du bureau de l'enregistrement, il n'y a pas âme qui vive. Pas une voiture. Un seul chemin, des forêts et la mer. Tout le monde espère déjà voir un chevreuil (j'ai décidé dans la vanette de dire comme eux pour ne pas faire mon *français*) mais

Guy nous pousse dans le bureau. Nous sommes, me dis-je en allumant une cigarette, en plein paradoxe et en pleine forêt. Dans ce pays de liberté, il y a des règlements pour à peu près…

– Je vois que vous fumez, me dit Guy, déjà stressé, en sortant précipitamment du bureau de l'enregistrement. On peut fumer sur Anticosti. Mais il y a des règles de sécurité. Règle numéro un, toujours bien écraser sa cigarette. Règle numéro deux, me donner le mégot.

La Québécoise de base, qui était assise devant, profite de ma cigarette pour s'allumer une Peter Jackson.

– Ch'u dans mon rêve, dit-elle merveilleusement.

Nous remontons avec nos tickets-restaurant dans la vanette, car nous devons déjà repartir avant d'être arrivés. En faisant le point, quand je fumais ma cigarette, j'ai découvert que je suis dans un voyage organisé.

– Est-ce que tout le monde m'entend bien ? demande Guy aussitôt monté dans sa vanette. Bon, et bien alors je vous souhaite la bienvenue à Anticosti. Je vais maintenant me présenter (il l'a déjà fait aussi). Je suis votre guide naturiste, je veux dire natura-liste. J'habite sur l'île six mois par an à partir de juin et je travaille pour la Sépaq. Nous nous rendons maintenant à 160 kilomètres de Port-Menier pour rejoindre la baie Mac Donald où vous allez séjourner pendant votre séjour. L'île d'Anticosti a été décrite par Jacques Cartier mais est surtout connue pour l'histoire d'Henri Menier.
– En quelle année a-t-il acheté l'île ? demande la végétarienne qui ne boit jamais de café.
– On me demande en quelle année Henri Menier a acheté l'île. Je répondrai à cette question demain lors de la journée consa-

crée à l'histoire de l'île. Aujourd'hui, c'est la présentation générale de la faune puisque nous sommes dans le forfait Nature.

– En 1895, répond un père de famille qui voyage avec sa femme, son fils et sa belle-fille. Il est mort le 6 septembre 1913.

– Je demanderai de bien vouloir suivre le plan que j'ai préparé (mais que personne ne connaît), sinon on ne s'en sortira jamais, dit alors Guy de plus en plus nerveux, et on sera mêlé. L'histoire doit être vue à la journée histoire. L'île d'Anticosti a une superficie de 4000 km^2, à peu près la grandeur de la Corse. On pourrait y mettre 17 fois l'île de Montréal, mais il n'y a ici que 270 habitants. Le reste est peuplé par la flore et la faune (il réajuste le volume de son micro). Quelle est la sorte d'arbres qu'on voit autour de nous? Est-ce que quelqu'un peut me répondre?

Le père de famille est vexé et nous sommes solidaires, de sorte que tout le monde se tait, et que Guy nous prend tous pour des ignares. Ça commence super bien.

– C'est de l'épinette. À l'origine, l'île était peuplée de feuillus mais ils ont été broutés par les chevreuils. L'érable à épis, la viorne comestible et le cornouiller stolnifère, sto-le-ni-fère, ont disparu. Le sapin n'arrive plus non plus à pousser, car il est aussitôt dévoré par les cerfs. Une expérience vient d'être faite par des bilogistes, des bi-o-logistes, avec les compagnies d'exploitation forestière. Ils ont bâti des «exclos», c'est-à-dire des clôtures autour de parties défrichées de l'île, pour voir ce qui y repousserait quand elles sont à l'abri des chevreuils. Vous allez apercevoir un de ces exclos un peu plus loin à droite. Henri Menier a fait venir ici 220 chevreuils. On estime qu'ils sont actuellement 120 000.

– Ciboère! dit la femme à l'avant.

– …ils causent beaucoup de dégâts sur l'île car ils mangent tout ce qu'ils trouvent, y compris les pousses d'épinette. Il repousse beaucoup de feuillus.

– Quelle est la température moyenne de la mer? demande ma voisine, pas trop sûre que la question soit comprise dans le forfait du premier jour.

– On me demande quelle est la température de la mer, reprend Guy. Elle est en moyenne de quatre degrés toute l'année.

– Tabarnak! s'écrie la Québécoise de base qui n'a jamais de question à poser mais commente toutes les réponses.

– Il y a trois sortes de pins. Je vais vous apprendre un moyen pour les différencier, continue-t-il. Commençons par le pin rouge. À quoi vous fait penser pin-rouge?

– À une auberge près de Québec, répond le fils du père de famille qui est avocat de la Ville de Québec et veut venger son père.

– Ce n'est pas ça. Une autre réponse?

– À vin rouge? propose la Québécoise de base.

– Ce n'est pas ça non plus. Pin rouge fait penser à Peau-Rouge (personne n'y avait songé) et Peau-Rouge fait penser à ça...
Soudain, il agite deux doigts au-dessus de sa tête pour imiter les plumes.

– Le pin rouge contient des feuilles de deux aiguilles attachées ensemble. À quoi vous fait penser «pin blanc»?

– Vin blanc, continue la Québécoise.

– Est-ce qu'on pêche encore le homard sur l'île? dis-je pour détendre l'atmosphère.

– Pin blanc fait penser à paume de la main. La main a cinq doigts, le pin blanc a cinq aiguilles. Le pin blanc a beaucoup disparu du Québec. On l'utilisait notamment pour faire les poteaux d'Hydro-Québec.

– Est-ce qu'on pêche encore le homard...

– On me demande si on pêche encore le homard sur l'île. Il n'y a plus qu'un pêcheur, mais les homards sont beaucoup plus grands que sur le continent. Ils atteignent facilement trente centimètres.

- Taboère! reprend la Québécoise. J'en mang'rais ben un assoèr, moé!
- Maintenant, qui sait comment on reconnaît un sapin d'une épinette?

Mais cette fois ça ne marche pas car tout le monde sait que l'aiguille du sapin roule dans la main, tandis que celle de l'épinette ne le fait pas. Il doit être trois heures et nous n'avons toujours pas vu de chevreuils, mais il est évident que Guy n'arrêtera pas de parler pendant les trois jours de notre forfait. J'aime beaucoup l'île, mais moins la vanette; il me semble que le plaisir de la nature est avant tout celui de la liberté d'aller où l'on veut, de s'arrêter, de flâner, et surtout de se taire. De faire un feu, de se baigner nu dans la rivière, de faire l'amour dans la mousse et de pisser dans les fougères.

- Nous sommes arrivés aux toilettes sèches. Y a-t-il quelqu'un qui doit y aller? Il n'y en aura plus après. Sauf à l'auberge évidemment.

Comment un homme comme Guy, qui adore la solitude à Anticosti, ne peut-il supporter le silence dans une vanette? Au détour de la piste de gravier qu'on appelle fièrement la Trans-Anticostienne, nous débouchons tout à coup, au sortir de la forêt, sur une immense baie brillante de soleil. Il n'y a personne sur la plage, il n'y a pas une seule construction. Ce paysage n'a pas changé depuis mille ans et au XXIᵉ siècle, Anticosti reste un monde à part: à Port-Menier, il n'y a aucun feu rouge, pas de vidéothèque ni de librairie; on ne reçoit aucun quotidien. L'école s'arrête au secondaire 2, de sorte que les adolescents doivent poursuivre leurs études sur le continent. Il n'y a pas de policier non plus, ni de médecin, ni d'hôpital. Deux infirmières visitent les malades, et en cas d'urgence, un hélicoptère les emmène.

- Je vais maintenant vous parler de l'histoire géologique de l'île.

Quel âge a la Terre, selon vous?

On se rend sur l'île soit par avion, soit par le Nordik Express, un cargo qui transporte matériel et voyageurs jusqu'à Port-Menier. Après huit kilomètres d'asphalte, la Trans-Anticostienne se transforme en piste de brousse dont les pierres («roches») crèvent bien des pneus. En fait de civilisation, on peut dire que tout ou presque doit son existence à Henri Menier dont Guy ne parlera que demain.

Né en France en 1795, Jean Antoine Brutus Menier décide de créer une maison de droguerie pour fabriquer des substances pharmaceutiques. Débutant à Paris, il émigre pour Noisel où il achète un moulin. Parmi ses drogues, il vend du chocolat utilisé à l'époque pour soigner l'anémie, les problèmes respiratoires et digestifs. Le beurre de cacao contenu dans la pâte de cacao sert également à fabriquer des suppositoires. Son fils, Émile Justin, lui succède mais abandonne la pharmacie et se consacre exclusivement au chocolat. Il acquiert notamment deux plantations de cacaoyers au Nicaragua. Chemin faisant, dans les années 1900, l'entreprise Menier devient un empire de plus de 3000 employés, que l'on qualifie alors de plus grande chocolaterie du monde. Henri succède à son tour. Grand voyageur, il rêve d'acquérir une île pour y chasser et y recevoir ses amis. En 1895, lorsqu'il apprend la mise en vente de l'île, il y dépêche son ami, Georges-Martin Zédé, pour l'explorer. Celui-ci y trouve un peuple de pêcheurs se transformant l'hiver en trappeurs, ainsi que quelques gardiens de phare.

Comme la totalité de l'île n'appartient pas à la société qui la vend, Zédé négocie avec les quelques propriétaires restants. Tous ne sont pas intéressés à la vente, à commencer par Peter Mac Donald, qui a donné son nom à la baie où nous allons en vanette. Peter est un de ces Canadiens comme je les aime, libre devant Dieu et face au soleil. Il a construit sa petite maison et vit de la pêche et de la chasse. Il refuse obstinément quelque transaction que ce soit, car l'argent ne l'intéresse pas. Mis à part Peter, cependant, tous vendent ce qu'ils ont à l'empire Menier, en échange d'une promesse de salaire et l'on passe l'acte de vente le 16 décembre 1895. Pour 125 000 dollars, le roi du chocolat est devenu celui de l'île. À Fox Bay, un foyer d'irréductibles refuse de se soumettre, mais Zédé les fait expulser à vie par les forces armées.

Alors que Menier semble plutôt débonnaire, son homme de main se conduit comme un dictateur. Son ambition dépasse celle de son patron, et de loin. Car où le premier ne pensait qu'à établir un vaste territoire de loisir, le second envisage de créer un État. Menier ne vient que très épisodiquement sur l'île (six fois en tout); mais Zédé y habite à l'année. Il prend toutes les décisions que son patron, de loin et sans Internet, approuve. Quelques mois après l'achat, ce petit Bonaparte d'une autre Corse y va de ses règlements. D'abord, il encercle tout le monde:

« 1. Il est défendu de débarquer dans l'île, d'y séjourner, résider, exercer un commerce, une industrie ou une profession quelconque, sans avoir obtenu une autorisation spéciale et nominative signée par l'Administration.

2.- Toute permission d'habiter sur l'île, d'y exercer une profession ou une industrie quelconque est toujours révocable.

3.- Nul ne peut loger, abriter sous son toit ou prendre à son service une personne qui ne soit porteuse d'un permis de séjour régulier[12]. »

Ensuite, à ce peuple de chasseurs, de pêcheurs et de trappeurs, à ces gens libres qui ne rendaient compte de leurs activités qu'à leurs muscles, Zédé interdit la chasse, et la pêche dans les rivières, les étangs et les estuaires. Il prohibe également la possession d'une embarcation *«sans une permission nominative mentionnant la nature de cette embarcation, ses dimensions, son tonnage et son inventaire, ainsi que l'emploi auquel elle est destinée.»* L'article 21 précise que *«la pêche maritime (poisson, homard, etc.) par les habitants ainsi que la chasse des loups marins, baleines, souffleurs, etc., est réservée.»* En cas d'infraction, conclut l'article 28, la sanc-

---

12 LEJEUNE L., *Époque des Menier à Anticosti, 1895-1926*, Éditions JML, 1987.

tion sera «*un cas de résiliation de bail ou de contrat de travail et de retrait de permission de séjour, sans préjudice de toutes actions légales et en dommages et intérêts.*» Achetée parce qu'elle était sauvage, Anticosti se voit ainsi devenir une sorte de métropole de la fureur réglementaire française.

Ayant établi des lois, Zédé introduit maintenant la hiérarchie. Il nomme 14 services, que l'on pourrait comparer à des ministères, avec des responsables (français pour la plupart) à leur tête: Administration, Agriculture, Police, Services scolaires, Service des travaux, Commerce, c'est à peine s'il ne crée un service militaire pour les moustiques. En aucun cas, précise-t-il, les employés ne doivent communiquer avec la haute direction (lui-même), et il refusera toujours de s'adresser directement aux habitants. Il frappe sa monnaie, bâtit de nombreuses maisons obligatoirement peintes des couleurs jaune-vert-brun du chocolat Menier. On construit une école, une église, une boulangerie, un abattoir, une poissonnerie, une scierie; on sème, on laboure, on exploite commercialement la pêche au homard. Par bateau viennent des locomotives, une Panhard, des chevaux, des ministres en visite et, rarement, celui qui a payé tout cela, Henri Menier.

Mais si la vie des insulaires est ainsi bouleversée pour un temps, celle de la nature le sera pour toujours. Henri Menier a en effet décidé d'importer sur l'île seulement peuplée d'ours et de renards blancs, une foule d'autres espèces animales.

Cent cinquante cerfs de Virginie, payés 15 dollars par tête, débarquent, accompagnés d'un bison et de deux wapitis. Ceux-ci meurent, mais les cerfs, comme les grenouilles-léopard qu'il importe aussi pour lutter contre les moustiques, croissent. On amène ensuite 30 castors qui construisent des barrages inondant les routes, qu'il faut ensuite dynamiter. On introduit 300 lièvres de l'Arctique pour leur chair et des renards argentés, d'abord pour en faire l'élevage, ensuite pour les croiser aux renards roux. Un spécialiste suggère d'apporter des rats musqués, mais les habitants, craignant qu'ils ne détruisent les potagers, préfèrent les jeter à la mer. Les perdrix en revanche sont acceptées. En 1923, 150 rennes de Norvège sont transportés par bateau et relâchés dans l'ouest de l'île. Ils ne s'acclimateront jamais à l'humidité d'Anticosti et disparaîtront en 1948.

La vanette approchant de notre auberge, Guy prévient par radio que nous y serons dans 17 minutes. Les aubergistes nous accueillent et nous montrent nos chambres, face à la mer, dans une maison en bois à côté du restaurant. Le drapeau de la Sépaq flotte au-dessus de la tombe de Peter Mac Donald, retrouvé mort gelé dans ce qui est aujourd'hui la cuisine du restaurant. Cet irréductible réfractaire avait pris soin, avant de mourir à 89 ans, de griffonner un mot sur un vieux journal, léguant ses propriétés à celui qui le trouverait. Je prends une photo de la tombe.

La journée se termine pour Guy, mais il a déjà prévu que nous nous réveillerons à sept heures.

- Oh un chevreuil! dit soudain la végétarienne en voyant l'animal rôder près du restaurant.
- C'est beau en tabarnouche, dit la Québécoise de base. J' peux-tu le toucher?
- Il est interdit de nourrir les animaux. Même si cette règle vous paraît cruelle, elle est faite pour le bien-être des animaux, précise le représentant de la société qui organise les chasses sur l'île.

La Québécoise de base sort son appareil jetable et le passe à la végétarienne pour qu'elle les photographie ensemble.

- Tu l'as-tu crinqué?
- Ça doit être un jeune de l'année, dit le père de famille qui parle pour la première fois depuis l'affaire Henri Menier. Sa mère ne doit pas être loin.

La grâce de ces antilopes du Nord est si délicate, ces animaux sont si jolis et semblent si frêles qu'on ne comprend pas le plaisir de les tuer. Les petits, au contraire de nos faons européens, sont tachetés et ont servi à Walt Disney de modèle pour Bambi. Les mâles s'appellent ici des *bucks*. Dans le salon de l'auberge, on peut lire les notes de chasse laissées par les visiteurs, commentant leurs prises en nombre de pointes.

Le lendemain matin, en me promenant au bord de la mer, je trouve des centaines de capelans morts sur le rivage. Ces petits poissons argentés fraient sur les plages de gravier : les femelles y pondent, puis meurent, pendant que les mâles ensemencent les œufs. Peter Mac Donald a dû s'en nourrir, comme on faisait partout en Gaspésie, en les attrapant vivants dans les vagues. Un peu plus loin sur la plage, une famille de renards va aussi à la pêche. On dit que la fourrure de ces animaux sur Anticosti est plus soyeuse qu'ailleurs, à cause du poisson dont ils se nourrissent. Les chevreuils, ici, ont aussi changé leurs habitudes, ce qui a modifié leur apparence. Ils se nourrissent de conifères et d'algues.

À huit heures, nous sommes tous dans la vanette et nous dirigeons vers les chutes Vaureal. Au poste d'observation, une jeune guide, qui a l'air calme et triste, écoute le nôtre nous parler des plantes carnivores. Je lui demande ce qu'elle fait ici pendant l'hiver, question qui nous tracasse tous.

– On fait du piégeage, de la motoneige, du colletage… Et des enfants. Il n'y a personne qui vient ici en hiver.

Assise au bord de la falaise, elle semble au bord d'une dépression. La population de l'île compte 130 hommes pour 136 femmes. Peut-être fait-elle partie des six femmes surnuméraires. Ou elle a eu une aventure avec Guy, qui se montre avec elle sur la réserve. Je ne saurai jamais la cause de sa tristesse.

Guy a apporté des «planchettes» pour nous expliquer les mœurs des plantes insectivores.

– Nous allons commencer par la grassette vulgaire...

– Stie qu'y a d'la mouche icitte! dit justement la Québécoise de base.

– La grassette vulgaire attrape les insectes comme du papier tue-mouches. Aussitôt qu'ils s'y posent, ils ne peuvent plus s'en détacher. Ensuite, la plante suce les substances nurtrives, nu-tri-tives de l'insecte.

– Ça tue-tu les maringoins, cte plante là?

La végétarienne, qui trouve cette conversation odieuse, demande ce que sont ces petits fruits rouges qu'on voit plus loin. Personne n'en sait rien. Si je lui disais que ce sont des spitules à raies, elle tomberait amoureuse.

Dans la nature organisée, il suffit de nommer les choses pour passer pour un expert. Mais dire, en voyant une pierre, c'est une sphalérite jaune, en voyant un volatile, c'est un marsouinchouette à bec bleu n'a aucun autre intérêt que de faire le malin si l'on n'en dit pas plus. D'ailleurs les mots employés sont invérifiables et quand je donne n'importe quel épithète à des volatiles, insectes ou oiseaux de passage, tout le monde me croit. Il suffit de repérer une victime et de s'écrier, l'air ravi, Oh un spolipode à pecatilles! Une amé019-ératite à répétition, une pénissette à bavures, une poulargue à fossettes, pour passer pour un entoligiste, un entomologiste.

Nous descendons vers la mer pour déjeuner, chacun muni du petit sac de la Sépaq contenant notre repas compris dans le forfait. La baie Sainte-Claire, ainsi nommée par Henri Menier en hommage à sa mère, est grandiose et déserte. Nous nous asseyons sur une table en bois construite par la Sépaq. Chacun a reçu un sandwich au rosbif, du jus d'orange, une bouteille d'eau, des légumes crus et un dessert.

– Nous avons un bon 60 minutes de temps libre. Vous pouvez vous promener sur la plage, mais je vous demanderai de ne pas aller jusqu'au chalet qui se trouve au bout de la baie, afin de ne pas déranger les gens qui l'occupent.

– Quand je pense que l'eau d'Aquafina vient de l'aqueduc de New York, alors que nous avons tellement d'eau au Canada, je suis dégoûtée, dit la végétarienne en débouchant sa petite bouteille en plastique.

– C'est normal, Aquafina c'est Pepsi. Et Dasani c'est Coca-Cola.

Devant nous, un phoque apparaît, puis disparaît avec l'air de vouloir participer au pique-nique. Au loin des chevreuils broutent sur la plage. Il fait chaud, peu venteux. Nous sommes dans un paradis terrestre. L'air bleu sent le chevreuil, le phoque, l'épinette et l'algue dans une réunion qui n'existe peut-être qu'ici. Au sol, des milliers de cailloux dont beaucoup de fossiles (qu'il est interdit de ramasser). Le père et sa famille décident d'aller jusqu'à la falaise de gauche, voir ce qu'il y a derrière. La végétarienne prend à droite, mais le guide reste au milieu avec la Québécoise de base qui n'a pas envie de marcher. Je suis le phoque sur la rive, qui ne bouge pratiquement pas, en me demandant comment communiquer avec lui. Autant un éléphant paraît toujours mâle, autant on croirait que tous les phoques sont femelles. Il y a des espèces qu'on dirait féminines et d'autres masculines. Que voit-il? Qu'entend-il? Que ressent-il? Les animaux connaissent-ils le bonheur? Sans doute, puisqu'il leur arrive d'être tristes.

Il semble que les phoques communs du Saint-Laurent n'émigrent pas comme les autres. Pourquoi d'ailleurs changeraient-ils de crémerie? Il n'y a pas de pêcheurs à Anticosti, on ne tue pas non plus les phoques, et je n'ai encore vu aucun bateau. Il n'y a même pas d'avion dans le ciel. Le phoque est ici en toute tranquillité, dans une eau à quatre degrés, sans baigneurs, et avec vue sur notre pique-nique.

À quoi ressemble la vie d'un phoque? Si un phoque commentait celle de l'espèce humaine pour en parler aux baleines avec le ton que nous employons pour les décrire, ne dirait-il pas: les humains se rassemblent sur les plages en petits groupes, mettent des tas de choses dans leur bouche et s'en vont ?

Nous connaissons plus ou moins sommairement leurs mœurs, mais nous ignorons tout de leur vie intérieure et les traitons en masses mécaniques, obéissant à des facteurs génétiques comme s'ils ne disposaient d'aucun pouvoir de choix. Ils se reproduisent, mais nous faisons l'amour ; ils s'apprivoisent mais nous nous lions d'amitié. Même notre vocabulaire nous sépare d'eux. Nous nous les représentons comme des étrangers à notre espèce ; cette hypothèse que nous faisons de les exclure du monde de la pensée et des sentiments nous empêche de les comprendre, tout en heurtant la certitude que nous avons du contraire et que nous ressentions si fortement quand nous étions petits. Ce n'est pas, sans doute, qu'ils pensent et ressentent comme nous. Mais pourquoi ce phoque me regarde-t-il depuis 15 minutes, la tête hors de l'eau, comme s'il était sur une bouée ? Et moi, pourquoi pense-t-il que je le regarde ? Tous les deux nous nous observons par la même curiosité du vivant pour le vivant. Nous partageons à cet instant le même sentiment et il a peut-être autant d'amour pour moi que j'en ai pour lui. Nous ne pouvons nous reposer uniquement sur les scientifiques pour comprendre le monde qui nous entoure, et c'est une grande erreur que d'attendre leurs preuves pour accepter la vérité. En soumettant nos intuitions à l'existence de démonstrations, nous subissons leurs retards et leurs égarements, alors que nous disposons d'outils intérieurs pour utiliser à notre profit la magie transcendante du vivant.

En revenant de sa promenade familiale, la belle-fille rapporte un bois de cerf dont les deux pointes supérieures ont été polies puis blanchies par l'eau de mer. Elle demande si elle peut l'emporter.

– C'est interdit, affirme Guy sans sourire. Nous devons laisser la nature dans l'état où nous l'avons trouvée pour nos enfants et les enfants de nos enfants.

On dirait une de ces phrases affichées dans les toilettes des bistrots parisiens.

- Mais elle l'a trouvé dans la mer, ce n'est pas le territoire de la Sépaq, ça, la mer, dit la mère, justement, qui commence aussi à s'énerver.

Pendant que nous marchons dans les fougères du retour, le fils embraie sur le droit public canadien. J'ajoute que ce massacre de cerf aurait pourri dans la mer, mais Guy réplique que les poissons et les micro-organismes ont également le droit de se nourrir (ainsi que leurs enfants et les enfants de leurs enfants). Finalement, nous ne sommes pas dans la nature. Nous sommes dans le musée de la nature. Nous poursuivons dans les iris bleus.

- Des iris versicolores, ajoute évidemment Guy pour faire officiel. Ils sont l'emblème du Québec.
- Guy mon amour, ai-je envie de lui dire en lui prenant la main. Pourrais-tu la fermer?

Mais il ne se taira jamais, c'est pourquoi le père de famille, grand marcheur, est loin devant. Je le rattrape au sprint quand je le vois nez à nez avec un cerf qui souffle alors violemment, comme si ça pouvait nous impressionner. Les pieds boueux, nous remontons dans la vanette en attendant les autres, qui arrivent en parlant, un peu alourdis par les sandwichs au rosbif.

- Ça t'dérange-tu si je fais un rapport? me demande la Québécoise de base qui est montée derrière. J'en fais toujours en voiture.
- Pas du tout, dis-je, un peu étonné quand même, car elle n'a pas l'air si administrative. Tu veux faire un rapport sur quoi, exactement?
- Sur rien. Juste un rapport.

J'ai l'impression d'être devant Juste Leblanc quand on lui demande comment il s'appelle dans *Le Dîner de cons*. Je mets ça sur mon incompréhension générale du Québec et continue à regarder le paysage qui défile dans la vanette. Nous avons droit à un peu de silence pendant que Guy règle son micro. Une question à l'arrière:

- Y a-tu beaucoup de..., comment qu'on appelle ça encore, ceux-là qui fouillent dans le cul des canards? demande ma voisine.
- Y a-t-il beaucoup de bilogistes, de bi-ologistes sur l'île d'Anticosti? qu'on me demande, reprend Guy en rajustant son micro.
- Est-ce que tu veux un crayon, dis-je à la Québécoise de base pour son rapport, en voyant qu'elle ne s'y met pas, et parce qu'on dit crayon pour Bic au Québec.
- Il y a beaucoup de chercheurs qui étudient le comportement des animaux sur l'île. Ils résident ici à l'année. Je ne pourrais pas dire exactement combien, mais il y en a en permanence.
- Pourquoi que tu me donnes un crayon?
- Attention à la bosse, prévient Guy, nous approchons de la rivière Patate...

Au moment où la vanette passe sur le petit monticule, ma voisine fait un immense rot en me regardant.

- Ostie qu'on s'sent mieux quand qu'on a fait son rapport, dit-elle toute souriante.

Je note dans mon carnet, avec le Bic que je reprends: «ajouter: rapport = renvoi».

La Sépaq ne gouverne pas tout le territoire qu'elle partage avec la pourvoirie du lac Geneviève et Safari Anticosti, lequel contribue aux mystères de l'île. Accueillant surtout des chasseurs américains, new-yorkais pour la plupart, la pourvoirie ne se montre presque pas, cachée dans ses épinettes en attendant l'ouverture de la chasse.

- Le nombre de naufrages sur l'île est dû au *reef* qui l'entoure et forme comme une assiette de calcaire. Nous allons nous garer à gauche (à droite je veux dire) pour observer un phénomène que les spéologues, spé-lé-ologues, ont découvert récemment près de la grotte de la Patate. Pourquoi, selon vous, la grotte «Patate»? Est-ce parce qu'on y a retrouvé des patates? Noooonnn. Le nom vient de la rivière Patate. Mais pourquoi a-t-on surnommé la rivière, rivière Patate?
- C'est quoi encore la différence entre un pin rouge et un pin blanc, demande la mère de famille à son mari, subodorant un examen oral.
- C'est donc à cause de ces blocs erratiques qu'on l'a surnommée la rivière Patate. Est-ce que quelqu'un pourrait me dire ce que signifie bloc erratique?

À la mort d'Henri Menier, en 1913, la propriété passe à sa très jeune femme, qui y renonce. Son frère Gaston fait arrêter les grands projets de Zédé et ralentit le rythme de l'île. Baie-Ellis est rebaptisée Port-Menier en 1920. Six ans plus tard, Zédé vend Anticosti, contre l'avis de son véritable propriétaire, selon un historien anticostien, mais on a compris que Zédé se prenait depuis longtemps pour le prince de ces lieux. Son intention semble de demeurer auprès du nouvel acquéreur pour proposer ses services de directeur, mais on ne lui accorde pas la place. La Consolidated Bathurst Inc., que tout le monde appelle ici la Consol, y développe une industrie de pâte de bois jusque dans les années soixante-dix, où le Québec rachète ce territoire pour 23 millions de dollars. Le gouvernement propose enfin aux habitants de devenir propriétaires de la maison qu'ils occupent pour des sommes dérisoires, ce qu'ils s'empressent de faire.

De larges parties d'Anticosti restent à explorer, y compris celles déjà découvertes mais réservées à une population d'élite: la région du lac Salé, interdite d'accès en tout temps et à tout le monde, ne peut être vue que d'avion car elle est classée zone interdite, pour respecter la biodiversité (et les enfants de ses enfants). En réalité, les secrets d'Anticosti sont bien gardés, mais le mystère est connu de tout le monde: Anticosti se trouve à moins de trois heures d'avion de New York, on y tue 8000 animaux annuellement. Et la chasse au chevreuil génère plus de 10 millions de dollars par année.

Y aller

Anticosti se situe à 1125 kilomètres de Montréal et à 872 kilomètres de Québec. Par avion: Aéropro offre des vols réguliers tous les jours de la semaine de Havre-Saint-Pierre à Port-Menier sur un avion bimoteur de huit passagers (Cessna 310 ou 337 et Piper Navajo). L'aller-retour coûte environ 200 $. Réservation au 418-961-1311. Infos sur www.aeropro.qc.ca. Par bateau: Nordik Express part de Rimouski le mardi midi pour arriver à Anticosti le mercredi après-midi (environ 400 $, repas compris).

Relais Nordik: 1-800-463-0680.

S'y déplacer

On peut louer une voiture ou un camion chez Sauvageau, 1-418-535-0157 (125 $ pour les 100 premiers kilomètres et 30 cents le kilomètre supplémentaire, plus 28,95 $ pour les assurances) et George Lelièvre, 1-418-535-0351. Il ne loue que deux camions. (97 $ par jour plus taxes, 49 $ pour les assurances, kilométrage illimité.)

Y séjourner

- Forfait Pourvoirie du lac Geneviève (notamment location de maisons de gardien de phare à Pointe-Nord, location de chalet et bateau, etc.): www.anticostiplg.com et 1-800-463-1777.
- Safari Anticosti: 418-723-8787.
- Camping municipal, sur la rue Canard: 418-585-0130.
- Camping sauvage, à Pointe Ouest: 418-535-01-55.
- Auberge de Port-Menier: 418-535-0122.
- Boutique d'artisanat de l'île: 418-535-0270.
- Coopérative de consommation de l'île d'Anticosti (épicerie, boulangerie, SAQ, boucherie, vers, propane). En cas de long séjour, passer sa commande par courriel ou par téléphone avant d'emporter tout ça au chalet: 418-535-0129 ou info@cooperativeanticosti.com
- Il y a une Caisse Desjardins. Interac et les cartes de crédit fonctionnent très bien à Port-Menier.
- Le téléphone est installé à Port-Menier mais pas au-delà. Seul Telus fonctionne.
- La grotte Patate ressemble à un sexe féminin, ou alors je suis vraiment malade.

Toutes les auberges appartiennent à la Sépaq.

- Auberge de Port-Menier, l'auberge Carleton, l'auberge Chicotte et l'auberge Mac Donald.
- Le seul restaurant: l'Auberge de Port-Menier.
- Info-Anticosti: 418-535-0250.
- La villa Henri-Menier ne se visite pas, car elle n'existe plus, les habitants l'ayant brûlée de peur qu'elle ne s'effondre sur les enfants qui allaient y jouer, dit-on. On peut néanmoins déambuler sur les fondations, ce qui n'offre aucun intérêt mais que tout le monde fait quand même. Où sont passés les meubles transportés d'Europe à grand frais, tous un peu art-déco si j'en juge par les photos? Certains sont dans le salon des Anticostiens. D'autres ont été sortis de l'île.

- L'écomusée: 418-535-0250 ou 418-535-0311. Très intéressant petit musée consacré à Henri Menier. On voit essentiellement des photographies et quelques meubles du «château».
- Forfaits Sépaq: villégiature en chalet, visites guidées, forfait chasse, pêche, etc.: www.sepaq.com/anticosti. Réservation Sépaq: 418-535-0156. Il existe un forfait de trois jours NaturExpress incluant transport en avion, hôtel, repas, etc. à 479 dollars.
- La chasse est déclinée dans toutes ses variations: à l'arc, à l'arbalète, à cheval, familiale, longue durée. On offre de tuer des cerfs, des gélinottes, des sarcelles, des lièvres, des orignaux, de combiner ça avec la pêche au saumon ou à la truite. On propose la chasse de luxe («Jupiter 12») avec radiocommunication pour chaque chasseur (je viens de tuer sa femme - Roger -) et dépeçage offert, y compris les petites «boîtes à chevreuil» pour rapporter ça à la maison, la chasse des cerfs encore en velours du mois de septembre, et la chasse «tardive» en décembre.
- Les chiens sont interdits sur tout le territoire de l'île (ce qui fait que tout le monde a un chat).
- Henri Menier a acheté le château de Chenonceau en 1913. Il appartient toujours à sa famille.
- Aucun Européen ne vit à Anticosti.

LE NORD PUR

Les Québécois ne peuvent imaginer à quel point, pour nous, rouler dans une voiture en imitation bois, traverser les forêts du Nord, s'arrêter le long d'une immense route marquée par cette bande jaune qu'on voyait dans les téléfilms américains, et boire enfin un café servi par une serveuse de 82 ans en minijupe, est complètement romantique. Beaucoup d'entre nous sont en effet venus ici pour cela: le Nord. Car pour le monde entier, la première image qui vient à l'esprit quand on prononce le mot «Nord», c'est le Canada.

Au Canada, même des lieux du sud empruntent des noms du nord, tels Kamouraska ou Rimouski avant de rejoindre les Chibougamau, Waskaganish, Chisasibi, Nemiscau ou Mistissini. Et sans parler des syllabes presques congelées de Ivujivik, Tasjiujaq, Inuljuak qui donnent froid à la bouche.

Oui, nous sommes servis. Il y a des nords partout, dans la langue, la géographie et la nature, dans les rues, les autoroutes. La Seine a sa rive gauche, mais le Saint-Laurent sa rive nord. Il y a le nord du Canada, le nord du Québec et le nord de Montréal, le grand Nord et le moyen Nord et j'ai entendu quelqu'un me dire sérieusement que le sucrier se trouvait au sud de la cafetière.

Alors qu'à Bruxelles, personne n'est capable de dire où se trouve l'ouest, tous les Québecois peuvent nous indiquer l'est sans regarder le soleil. Mais comme il y a des nords partout, la vraie question demeure: où est le vrai Nord?

Là où l'agriculture n'est plus possible; quand on ne voit plus veau, vache et cochons, ni fermier ni fermière; quand on n'entend plus l'insupportable chant du coq, qu'il n'y a plus d'odeur de fumier ni de réunion agricole, ni syndicats d'éleveurs de cochons et pollueurs en tout genre : là commence le Nord, en tous cas le mien, dont la capitale surgit au milieu des épinettes, à 700 kilomètres de Montréal, à Chibougamau.

La plupart des Québécois situent cette ville très loin de l'endroit où elle se trouve, alors qu'au contraire de plusieurs autres agglomérations plus importantes, elle est visible sur toutes les cartes du monde car elle jouit de toute la place pour s'écrire. Chibougamau étire son nom en toutes lettres et en prenant ses aises dans l'immensité de la Baie-James.

Au début des années cinquante, le *New York Times* annonçait à ses lecteurs que pour trouver le vrai Far West, ils devaient se rendre à Chibougamau. Rien ne manquait au décor : on y trouvait des prospecteurs, des Indiens, des bars et des bagarres ; des hommes dînant avec leur colt sur la table dans des « shacks » enfumés, servis par des Indiennes s'enfuyant par la fenêtre avec un camionneur de passage ; de l'alcool illégal, et pour raconter tout cela, un écrivain richissime, à la fois fêtard et bibliophile, Larry Wilson.

« Je ne peux attirer trop votre attention sur ce nouveau district et les importantes découvertes qui y ont été faites » avait dit au début du siècle l'ingénieur français Joseph Obalski, venu explorer la région. Il y décèle, après d'autres, de l'or et du cuivre. D'un point de vue géologique, la région est riche, infiniment riche. Mais froide et inaccessible comme les stars d'Hollywood de la même époque, elle n'attire que ceux qui n'ont rien à perdre. Un Français, Gabriel Fleury, ayant sans doute fui la conscription de 1914, y passe des mois entiers, seul avec ses chiens, en étudiant la géologie dans des manuels. Quelques marchands, un peu trappeurs, un peu chercheurs d'or, s'établissent au poste de la Compagnie de la Baie d'Hudson au bord du lac Mistissini. Peu à peu, à côté de cette centaine de prospecteurs individuels, des sociétés investissent la région. On apporte le matériel dans de longs convois tirés d'abord par des hommes, par des chiens, enfin par des chevaux ou apportés dans les premiers avions de toile, pilotés par des hommes auxquels rien ne fait peur. Le premier chevalement de mine perce le ciel en 1946. Trois ans plus tard, on construit la première route de gravier : Chibougamau sort du bois.

C'est à ce moment qu'arrive Larry Wilson. Grand buveur devant l'Éternel, Wilson y vient curieusement pour exploiter une source d'eau minérale, dont on lui a vanté les vertus magiques. Mais il renonce rapidement à son projet et se concentre sur l'histoire des pionniers qu'il côtoie, tout en menant une vie fastueuse. Un premier commerce ouvre. «Il n'y avait place que pour trois personnes, dira Wilson, mais l'on y vendait à la fois du homard en conserve et des raquettes[13].» L'hôtel Wacanichi bâti, dit-il encore, «selon l'architecture élégante d'une boîte de bœuf en conserve» compte six chambres et tient lieu de «saloon». Peu à peu, des hommes et des femmes, venant d'Abitibi et du Lac-Saint-Jean s'installent, sans eau courante, sans téléphone, sans électricité... Des mineurs polonais, français, allemands, italiens rejoignent les Québécois dans la ville où les payes sont grasses, et le travail abondant. La ville se construit, à l'écart de tout, dans un esprit de solidarité dont parlent encore les pionniers. Les Cris de Chibougamau obtiennent à la suite d'une longue procédure un statut particulier et une réserve à Ojé-Bougoumou, tandis que ceux de Mistissini, plus au Nord, profitent des installations modernes de la ville. Les Blancs qui n'étaient venus que pour quelques années, décident de rester dans un endroit qui leur semble finalement paradisiaque. «Je suis un milliardaire» me dit un ancien. «Je ne suis pas riche, mais je vis comme un riche. Je chasse, je pêche, il suffit que je fasse trois pas pour me retrouver seul sur un lac en pleine nature. Qu'est-ce que vous voulez demander de mieux?»

Le Nord du Québec est immensément fortuné : son sous-sol regorge de minerais (Chibougamau génère une moyenne annuelle de 105 millions de dollars d'or et de cuivre), son sol d'épinettes et

13 Traduit en français sous le titre L'*Appel du Chibougamau*, cet ouvrage est malheureusement épuisé.

son air d'oxygène. Mais c'est sa culture qui recèle son plus haut potentiel économique. Le seul mot nord attire comme un aimant l'imaginaire de centaines de millions d'Européens: il n'y a que les gens du nord qui l'ignorent. Les élus locaux semblent tout heureux d'annoncer l'ouverture d'un Subway, l'installation d'un nouveau feu rouge ou l'inauguration d'un cinéma, car ils ne se soucient que de diminuer l'exode-inéluctable-des jeunes. Les jeunes s'en vont, c'est leur métier. À la ville, ils sont parfois gênés de dire qu'ils viennent de Chibougamau alors qu'ils auraient toutes les raisons d'être fiers de descendre de pionniers, de prospecteurs et de gens libres. Mais la ville traite la culture comme un passe-temps de riche.

Les élus ne pourraient-ils réfléchir quelques minutes sur le cas de Bruges, de Venise, de Versailles? N'est-ce pas uniquement la culture qui fait vivre ces villes? Il ne s'agit que de monuments, me dira-t-on. Et Petite-Vallée, village autrefois oubliée de Gaspésie, aujourd'hui connue internationalement grâce à son festival? Et Niagara? Et l'Île d'Orléans? N'y a-t-il pas des preuves visibles et connues de tous pour démontrer que la culture constitue aujourd'hui une richesse d'autant plus précieuse qu'elle ne détruit rien?

«Pour sauver les régions rurales, avait dit le sociologue Fernand Dumont, tant sur le plan de l'économie que sur celui de la politique, il faut commencer par le développement culturel.» Dans le Nord, la culture prend la forme de caribous, de neige et d'air pur. La formidable histoire de la Compagnie de la Baie d'Hudson pourrait s'écrire partout, se visiter et s'acheter; les connaissances des coureurs des bois, de leurs descendants, des chasseurs, des pêcheurs et des prospecteurs offrent un immense attrait pour le reste du monde. C'est en étant soi-même que l'on attire vraiment les autres. Dès lors qu'on s'acharne à leur ressembler, on devient remplaçable, autant dire inutile. En étant Subway, on exige des vendeuses qu'elles fassent comme partout ailleurs, mais on s'étonne ensuite que ces petites robotinettes partent à Montréal voir s'il n'y aurait pas moyen de devenir super-manager d'un MacDo.

Il y a plus, bien sûr. Si les forêts du Nord disparaissent comme les morues de Gaspésie ; si le sous-sol est exploité sans obligation sérieuse faite aux compagnies d'investir dans la recherche, et si enfin les gens du Nord, travaillant tous au Subway, se voient renvoyés parce qu'il n'y a plus de client, que fera-t-on ? On adoptera une motion assurant que le seul avenir de la région passe par la culture. Et comme on ne saura plus ce qu'elle fut – comme les Cris ont perdu la plupart de leur art traditionnel – on en inventera une nouvelle, imitation bois, destinée aux touristes, dans un Disneymonde dont Dieu me garde.

Ce soir-là, il neigeait abondamment sur Chibougamau lorsqu'on me proposa de conduire un traîneau à chiens.

– Il n'y a que deux choses à savoir. Premièrement, on ne lâche jamais le traîneau, sinon les chiens s'enfuient. Deuxièmement, on freine dans les descentes pour éviter que le traîneau ne leur casse les jambes. Compris ?

Je n'en étais pas bien sûr. Quatre chiens, retenus par une ancre, tiraient comme des forcenés pour hâter le départ ; les bourrasques m'empêchaient de voir devant, le froid me gelait le visage. Surtout, je ne savais pas à quelle vitesse ces molosses allaient démarrer. Fallait-il les aider ? Se laisser porter ? Freiner, en posant les pieds sur le petit tapis glissant au sol ? Trente secondes plus tard, j'avais ma réponse : j'étais à terre, les chiens loin devant. Et je mangeais de la neige. Jamais je ne me serais attendu à une telle force au départ. Quelqu'un rattrapa mon traîneau, je repartis en tenant plus longtemps. Quelques chutes plus tard, je traversais en silence, sous des milliers d'étoiles, dans le halètement des chiens et le son de la glisse, deux lacs gelés et une lourde forêt d'épinettes. Les chiens dévoraient les kilomètres de montées et de descentes dans la joie d'une cours de récréation ; j'étais à peu près sûr de tomber au prochain tournant. Mais ce moment reste l'un des plus beaux de ma vie. Je vous supplie de l'essayer.

Un bonheur ne vient jamais seul. Le soir, je dormais dans l'un des plus charmants B&B du Québec dont j'ai déjà parlé, le Domaine de la Mine d'Or, aménagé dans l'ancien chalet de villégiature de directeurs miniers. Au matin, on vit des pas de loups dans la neige. Et je m'en allais sur la route du Nord. Depuis, je suis retourné au moins 15 fois à Chibougamau.

- Le Centre d'intérêt minier se trouve dans l'ancienne mine Bruneau et présente la particularité de ne pas être sous terre mais sous une colline. Ceci a pour conséquence que le minerai n'était pas évacué en le montant, mais en le descendant. La visite est guidée par d'anciens mineurs, et l'on peut encore apercevoir des veines de cuivre. Une petite salle à manger creusée dans la roche permet, quand on éteint la lumière, de connaître l'expérience intéressante du noir absolu : 418-748-6060
- Alaskan, chiens de traîneaux : 418-748-6040.
- Domaine de la Mine d'Or : 418-770-7679.
- Pourvoirie J.-C. Bou. Excursions en motoneige, pêche et chalets de villégiature : 418-748-2720.
- Un passionné d'astronomie a fabriqué de ses mains un splendide planétarium à visiter avec lui à la bibliothèque municipale : 418-748-2497
- La meilleure boulangerie de la Baie-James : Boulangerie Cloutier, 866 3e rue. Y faire provision de pains aux raisins, de sandwichs, de beignes, de pains canadiens, de pâtés. Bref emporter tout.

Restaurants et hôtels :
- Chibougamau Inn. Autrefois simple tente, il dresse aujourd'hui sa façade de pierres majestueuse construite par les Beaudoin, pionniers de la ville : 418-748-2669.
- Motel Nordic, comprend également un restaurant, le Roméo et Juliette : 418-748-7686.

- Si vous voulez voir un bar comme dans les films: Monaco, 551 3e rue. Pour appeler la police d'un cellulaire: *4141.
- À vendre et à louer: un 4^1/$_2$ plus sous-sol avec stationnement privé, jardin et satellite se louait 475 dollars en septembre 2005. À la même époque, une maison de quatre chambres, deux salles de bain et garage était proposé à la vente à 120 000 $.

La Baie-James

La municipalité de la Baie-James porte le titre de plus grande municipalité du monde. Non pas en nombre d'administrés, mais en superficie. Sur ses 350 000 km², soit les deux tiers de la France, ne vivent que 30 000 personnes. En réunissant son territoire à celui du Nunavik, on obtient un pays plus vaste que l'Allemagne, la France, l'Angleterre, la Suisse et les Pays-Bas réunis. Seule, une route traverse, en partie, cette nature immense: la route de la Baie-James, qui mène à Radisson, où s'arrêtent les voies terrestres.

Il faut la prendre en janvier, mais pas seul. Car après Chibougamau, il n'y a plus de téléphone d'urgence, le cellulaire ne fonctionne pas, des camions de bois de plus de quatre mètres d'envergure soulèvent des kilos de poussière ou de neige, et en dix heures de route, on ne trouve que trois stations d'essence, dont une seule ouverte en permanence. En cas de panne, il faudra attendre; en cas d'accident, il faudra prier.

Ce danger ajoute à l'envoûtement du Québec nordique: soudain, il faut prendre garde aux détails que l'on ignorait en ville. Dans le froid extrême, toute imprévision prend des allures de catastrophe et le risque permanent réveille en nous une inquiétude ancestrale et animale. C'est pourquoi Bernard Werber dit avec justesse que le Nord attire ceux qui veulent se mesurer à eux-mêmes. Tandis que le Sud appelle à la socialisation et l'Ouest à la richesse, le Nord impose au corps et à l'esprit une rudesse qui les remue.

Mon guide a tout prévu : roues de secours, antigel, liquide pour nettoyer les vitres, vêtements chauds de rechange, couvertures, allumettes imperméables, chaufferette, trousse de premier soin et argent en espèces. Et une caméra.

Car nous sommes dans le film dont je parlais tout à l'heure. Une route droite pendant 700 kilomètres. Quelques campements indiens isolés, repérables par le petit drapeau planté au bord de la route qui marque le chemin ; un camp forestier abandonné et des indications minières. Deux camions. Des milliers d'épinettes et des noms chargés d'histoire : la rivière Ruppert, l'une des plus grandes du Québec, du nom du Prince Robert de Bavière, à qui ce territoire fut octroyé par charte royale aux débuts de la Compagnie de la Baie d'Hudson ; Chisasibi, Mistissini, Nemiscau, Waskaganish, Wemindji, qui s'appelaient autrefois Fort-George, Baie du Poste, Fort Nemiskau, Fort-Ruppert et Nouveau-Comptoir.

– On arrive sur la route de la Baie-James, me dit le guide. On est à la moitié du chemin.

En 1970, Robert Bourassa devient Premier ministre du Québec. Sa théorie est simple : la force économique du Québec réside dans le développement de ses ressources naturelles. Les richesses hydrauliques constituent un aspect majeur de celles-ci. Il faut donc conquérir le Nord car on prévoit que les ressources électriques seront insuffisantes en 1982. « Il ne sera pas dit que nous vivrons pauvrement sur une terre aussi riche » affirme Bourassa. Des études préalables ont montré que la région de la Baie-James dispose d'un immense potentiel : en détournant des rivières au prix de gigantesques travaux, en construisant des barrages et des centrales, on pourrait non seulement fournir la Province en électricité, mais aussi approvisionner les États-Unis.

Il n'y a qu'un obstacle à ces barrages : la distance. Aucun chemin ne va au-delà de Matagami. Et pour acheminer le matériel et les hommes, il faudra construire une route capable de supporter le transport de 16 millions de tonnes de carburant, 750 000 tonnes de ciment, 200 000 tonnes de nourriture, sans compter les tonnes d'acier et d'explosifs. Dès l'été 1971, ingénieurs, arpenteurs, géologues, bûcherons et cuisiniers avancent pas à pas dans ce Nord à peu près inconnu, dans l'idée de dessiner la future route. Les conditions de travail, de logement et de nourriture sont précaires : les millions de mouches noires assaillent les ouvriers ; les aurores boréales brouillent les transmissions radio, l'hiver descend sous les - 50° C. C'est cependant l'extrême froid qui facilite la pénétration de la région, car il permet la construction de chemins d'hiver et de ponts de glace pour se rendre aux chantiers. Le 9 février 1973, le chemin d'hiver est officiellement ouvert. De lourds camions apportent les premiers approvisionnements à LG2 : « Ça prenait une semaine pour l'aller-retour, se souvient un *trucker*. Il fallait de la nourriture pour tout ce temps là car il n'y avait évidemment pas de restaurant sur le chemin. Quand on était tanné de manger des sandwichs froids, on arrêtait au bord de la route, avec nos haches on coupait des arbres, puis on se faisait des toasts. Cinq heures de sommeil la nuit dans le camion et on repartait le lendemain[14]. »

Les équipes affluent, transportées par des hélicoptères pilotés le plus souvent par d'anciens militaires étrangers, en l'absence de pilote d'hélicoptère québécois : l'un d'eux, un Vietnamien, rase les arbres, car il a été formé au vol à basse altitude. Un autre, très stressé, cherche instinctivement le bouton de sa mitrailleuse[15]. Enfin, le 20 octobre 1974, la route de gravier est officiellement inaugurée. Elle a coûté 200 millions de dollars pour 720 kilomètres.

Pendant tout le trajet, mon guide ne m'a posé aucune question mais donné toutes les réponses. Je lui ai demandé de quel bois étaient fait les poteaux électriques : de pin blanc. Comment s'appe-

14 LACASSE R., *Baie James, l'extraordinaire aventure des derniers pionniers canadiens*, Presse de la Cité, 1985.
15 *Ibid.*

laient les pylônes électriques: Mae West; quelle est la sexualité des épinettes: hermaphrodite. Il m'a expliqué les eskers, ces crêtes formées sur un cours d'eau sous-glaciaire; il m'a appris que les Cris ne connaissent pas l'expression «je m'excuse», montré de la pyrite de fer, appris l'orientation, la psychologie de la survie. Cet homme qui n'a pas terminé son cours secondaire m'a montré l'étoile polaire, m'a expliqué l'effet Coriolis, la parhélie, la migration des outardes, la mécanique des motoneiges et le principe de l'hélicoptère. Et après, on va me dire que les Québécois ne sont pas cultivés.

Comme il a vu un vol de corbeaux tournoyer au bord de la route, le guide arrête la voiture et descend, sans me dire un mot, puis me fait signe de le suivre: un caribou, gelé dans la neige, regarde le ciel d'un œil vitreux. C'est le premier caribou que je vois de ma vie. J'ai envie de l'embrasser.

– On va en voir, je te le garantis.

Les travaux du «projet du siècle» supposent principalement le détournement de rivières en vue d'augmenter le rendement hydro-électrique, la création de réservoirs et de centrales. Plus de 11 500 km^2 sont inondés entraînant de profondes modifications écologiques. Certains prétendent aujourd'hui que ce déplacement d'eau a modifié l'axe d'inclinaison de la terre; d'autres assurent que les centaines d'études effectuées dans la région par des experts indépendants n'ont décelé aucune modification négative du comportement des espèces. Hydro-Québec a investi des millions de dollars pour réparer les effets des travaux. On a créé des îles et des fossés pour la sauvagine, ensemencé pour attirer les oiseaux migrateurs. Tout a été fait pour tenter de restaurer, et même d'augmenter, la qualité du milieu ainsi perturbé.

– Les voilà!

La voiture ralentit, et je ne vois d'abord rien. Et puis, à quelques centaines de mètres en face de nous, trois ou quatre caribous sont tranquilles sur la route de la Baie-James, où la circulation n'est pas réglementée. Nous approchons lentement, ils ne semblent pas s'inquiéter. Puis, l'un d'eux nous repère et suivi des trois autres, commence à courir, droit devant. De la voiture, on voit leurs sabots se lever et frapper la glace avec une sorte de déhanchement bizarre, mais à toute allure. Les caribous jouissent d'un cœur disproportionné à leur petite taille, qui leur permet de parcourir chaque année les milliers de kilomètres qui les mènent de l'Ungava à la Baie-James. Aussitôt que la voiture les dépasse, ils se jettent brutalement dans le fossé, la tête la première, nous confondant avec un prédateur. Quelques kilomètres plus loin, ce sont des centaines d'individus qui se mettent à galoper devant nous et qu'il faut tenter de dépasser afin qu'ils se rangent et ne meurent pas d'épuisement. Et au loin encore, d'autres troupeaux traversent des lacs gelés, en file indienne dans le soir qui tombe. En tout, on estime à un million le nombre d'individus sur le territoire.

Où sont les caribous sont les chasseurs. Au bord de la route, des Cris s'arrêtent pour poursuivre les animaux dans le bois. Les Blancs peuvent en abattre deux par saison, mais les Indiens ne sont soumis à aucun quota.

Une voiture, roulant trop vite, nous dépasse.

– Devrait s'watcher, celui-là.

En effet, quelques minutes plus tard, nous trouvons la neige rouge, le véhicule défoncé, et quatre caribous étendus sur la route. Le conducteur, un Blanc qui emprunte ce chemin pour la première fois, reste bouche bée. Quelques heures plus tôt, il se trouvait en ville devant la télévision. Il est maintenant perdu en pleine route devant le sang qui fond la neige, le froid qui le glace, et sa voiture fracassée, sans radiateur, à 300 kilomètres de Radisson. Comme nous rangeons les cadavres sur le bord de la route, deux Cris descendent d'une voiture qui nous suivait, dépècent les animaux en trois minutes, et les embarquent dans le coffre. Il fait moins 40°.

Les Cris de la Baie-James se sont opposés aux gigantesques travaux d'Hydro-Québec pour des raisons que l'on peut comprendre, puisqu'il s'agissait d'inonder leurs territoires de chasse, certains de leurs cimetières, et de déplacer des populations. Obtenant d'abord la suspension des travaux par ordonnance de la Cour Supérieure du Québec, ils négocient ensuite, aux côtés des Inuits, la plus grande transaction de l'histoire amérindienne: la Convention de la Baie-James. Défendus par des avocats négociant avec acharnement la défense de leurs droits, ils obtiennent d'importantes compensations financières, des garanties territoriales, et une subvention gouvernementale destinée à rémunérer les activités de trappe.

La Convention crée trois catégories de territoire: 14 000 km² à l'usage exclusif des autochtones (catégorie 1); 162 000 km² exclusifs aux autochtones pour la chasse, le piégeage et la pêche et sur lesquels les Blancs peuvent chasser seulement s'ils y sont autorisés par les Indiens (catégorie 2) et enfin près de 900 000 km² de terres ouvertes à quiconque, mais où les prises du gibier sont contingentées pour les Blancs (catégorie 3). À l'époque, la Convention passait pour une victoire des deux côtés, les Cris érigeant sa date de signature en jour férié, les Québécois se voyant libres de construire la plus grande centrale hydroélectrique souterraine du monde et les plus grands barrages d'Amérique du Nord. Trente ans plus tard, les avis divergent. Fondamentalement, ces indemnités ont été accordées dans le but de permettre aux Cris la survie de leurs traditions ancestrales. De nombreux Blancs contestent qu'elles aient servi ce but. Et de leur côté, certains Cris regrettent la vente de leurs territoires à la civilisation blanche. La tension monte, au pays de l'électricité, entre deux communautés qui remettent en cause le droit de chacune à se trouver là.

L'eau frappe les aubes d'une turbine qui se met en mouvement. Celle-ci entraîne le rotor d'un alternateur qui produit du courant. À Radisson, on visite gratuitement les centrales, merveilles de technologie au sein d'une merveille de la nature. Le premier feu rouge est à 400 kilomètres et le premier trappeur à 10 minutes. Quand on se trouve à côté de la turbine de LG1, on a l'impression d'entendre battre le cœur du monde.

Radisson
- Visite des centrales Robert-Bourassa et La Grande 1 : bureau d'accueil et visites d'Hydro-Québec, 819-638-8446 et 1-800-291-8486. Visites gratuites.
- Radio Radisson : 103.1 FM.
- Artisanat Autochtone et Inuit : 96 rue Albanel, 819-638-6969.
- Observation des ours : dépotoir municipal (kilomètre 582). Info : 819-638-8305.
- Pêche : pourvoirie Radisson, 819-638-5400.
- Camping Radisson : 819-638-8687.
- Survol de Radisson en hélicoptère : Hélicoptères Whapchiwem, 819-638-7904. Capacité de 5 passagers, prix variant selon le nombre de personnes, entre 60 et 100 $.
- Motel Baie-James : 1-877-638-5400.
- Carrefour La Grande : 819-638-6005.
- Tours de l'île de Fort George : 819-855-2800.

LA DÉCONSTRUCTION DU PAYSAGE

J'ai beaucoup d'affection pour la laideur de Montréal qui n'est au fond qu'une image de la fourmilière industrieuse et ouvrière de la ville. J'aime les rues sales et transversales, les petits commerces sans soin, les constructions de fortune érigées par ceux qui n'en avaient pas. À Montréal, la laideur témoigne de l'histoire, comme les vieux murs parlent à Québec de la Nouvelle-France.

Il faudrait qu'un photographe passe quelques jours dans la ville pour fixer des endroits qui seront détruits dans un an: les vieux commerces, souvent très laids, et peu à peu remplacés par des boutiques rutilantes, exactement identiques, hélas, à celles que l'on trouve partout.

Déjà, dans le quartier Saint-Laurent – Prince Arthur, ont disparu: une vitrine de tailleur où pendait un vieux pantalon « avant-après » reprisage (on ne voyait pas la différence); un quincaillier genre magasin général de *La Petite Maison dans la Prairie*, dont Radio-Canada a filmé la fermeture; une des plus anciennes boulangeries montréalaises un peu plus au nord, où l'on fabriquait quantité de pains différents dans l'arrière-boutique.

Il y a encore, au coin de Sherbrooke et Saint-Laurent, un vieux barbier qui parle l'italo-anglais, et rase magnifiquement pour 20 dollars. Mais c'est l'un des derniers, car la plupart des autres ne font plus que coiffeur. Heureusement, les anciens utilisent encore des lotions dépassées, qui sentent toujours la même odeur, dans de hauts flacons à bouchon blanc. À la devanture, on voit cette enseigne rouge et blanche, créée en 1658, rappelant qu'autrefois les barbiers étaient aussi des chirurgiens (l'enseigne représente une bande sanglante entourant un bras): on s'assied sur des fauteuils de simili cuir rouge 1950; le coiffeur utilise des tondeuses pour le contour de l'oreille, ou le ras de cou ; il travaille lentement avec une sorte de patience effrayante et on l'entend respirer fort avec un léger soupçon d'ail.

Sur la rue Cathcart se tient un vendeur de journaux qu'il faudrait subventionner pour qu'il reste tel quel. Ça sent le papier et l'encre, le désordre est si dense qu'on ne peut se rendre au fond, mais on y trouve des revues colombophiles à côté de magazines pornographiques polonais, des journaux périmés et des cartes postales jaunies par trente ans de soleil – mais y est-il toujours ?

Sur Saint-Viateur, il faudrait photographier les fabricants de bagels près du four à bois dans une échoppe sans décoration et bien sûr, ces cafés italiens tapissés de posters de la Juve, de la Vierge Marie et du corps splendide de la fille du mois de juillet du calendrier Pirelli.

En banlieue, on peut encore voir des boucheries où l'on emballe la viande dans du papier rouge, avec de la ficelle tricolore, tandis que les bouchers portent un tablier maculé de sang, leurs ongles eux-mêmes étant salis du bifteck qu'ils viennent de trancher.

Ah ! que Montréal est belle dans ce monde où chacun fait à peu près ce qu'il veut, décore ou pas sa boutique, la range ou laisse la poussière et le désordre se multiplier. Avant que tout cela ne soit transformé en Second Cup où l'on ne peut plus fumer, où l'on doit boire son café dans du plastique ; avant que d'anciens étudiants en marketing et en finances rachètent les murs pour en faire une nouvelle chaîne ; avant que ces jeunes gens ne transforment tout en centre de profit, profitons de la fantaisie qui subsiste à Montréal et ne disons pas que la ville est laide. Montréal est une mère qui a beaucoup donné.

Mais que je déteste la 15 Nord quand elle va vers Saint-Jérôme ! Que je hais le paysage urbain défiguré par les franchises des Subway, Tim Hortons, Provigo, Rona que l'on trouve partout, de Montréal en Gaspésie jusqu'aux portes du Nord et qui déroulent le long des routes et des autoroutes une sorte de ruban attrape-mouche pour faire «amaricain».

Encore, dans les banlieues de Paris ou de Bruxelles, la laideur des choses s'harmonise à la cacophonie du paysage pollué jusqu'à l'armature. Mais ici le paysage naturel est grandiose. Peu importe: il sert de mur de réclame annonçant «avec fierté» diverses escroqueries. Le ciel bleu devient un support publicitaire et le mauvais goût un annonceur. Ce n'est plus un arbre qui cache la forêt; c'est une forêt de panneaux, de façades sans vie, qui masquent deux épinettes.

Je ne sais, et je n'ai pas envie de savoir s'il existe une réglementation. Je soupçonne qu'il n'y en ait aucune; s'il y en a, je suis sûr qu'elle est mauvaise. On débat longuement du concept de paysage, mais on ne fait rien, on ne voit rien qui change, on se croirait en France.

Le débat, je veux bien m'y mettre: il est certain que la nature, au Québec, n'a pas la même connotation qu'en Europe. Il y a deux générations, ou presque, quand un Québécois voyait un érable, il pensait sans doute à la fois «table», «chalet», et «sirop» tandis qu'un paysan français, apercevant un platane, pensait Ricard, pétanque ou belote et qu'un Français moyen ne disait simplement rien (situation relativement rare chez le Français moyen). Bref, l'Européen pensait à jouir de la nature, domestiquée depuis longtemps, tandis que le canadien français pensait à l'utiliser. Dès lors aujourd'hui, pourquoi ne pas l'employer comme écran?

À l'opposé de cette conception pragmatique, une autre, pire encore, consiste à décider que la nature, c'est pour les parcs. On voit déjà apparaître deux types de nature: celle, sacralisée, où l'on ne peut jeter de papier, ramasser de pierre, cueillir de fleurs ou faire du feu mais où il faut payer pour entrer, marcher sur des sentiers balisés, lire les informations des centres d'interprétation de la mouffette et dire merci en sortant. L'autre, poubelle, où tout est permis puisque tout est déjà saccagé. Il y a la Nature avec un grand N et la nature avec un Subway. Ni l'une ni l'autre, évidemment, ne ressemble à la vraie nature, sans aucune trace de domestication quelconque : mais nous nous dirigeons vers un monde où la représentation d'une chose vaut davantage que la chose.

Voilà pour le débat. Passons à l'action.

Démolissons toutes les franchises ; obligeons les entreprises à respecter l'environnement visuel dans lequel elles se bâtissent, comme les architectes le font depuis des siècles dans tous les pays du monde ; plutôt que d'imposer leur uniformité, leur identité visuelle aussi bien aux Rocheuses qu'à Tadoussac en ne considérant les êtres humains que comme des clients. Déclarons à Subway : votre jaune jure avec le soleil ; à Tim Hortons : vous ne convenez pas aux épinettes ; aux milliers de magasins de rénovation, de décoration, de vêtements en tous genres : commencez par vous arranger vous-mêmes. Le Canada est, de l'avis de millions de gens, le plus beau pays du monde : peut-on m'expliquer pourquoi certaines de ses municipalités resteraient les plus laides ?

Notions d'architecture du Québec

1. Le style **shack** (XVIIe siècle) : le shack n'est ni plus ni moins qu'une cabane en bois. Quand il y a une douche, c'est une boîte à conserve percée. On l'appelle aussi camp (se prononce campe) ou camp de chasse. Quand il dispose d'un peu plus de confort, on l'appelle chalet.

2. Le style **montréalais** (XIXe siècle) : caractérisé par les escaliers extérieurs et des corniches très décorées. Magnifique.

3. Le style **américain** (XIXe siècle) : les «loyalistes» (ceux qui sont restés fidèles à la Reine d'Angleterre après la révolution américaine et le Traité de Versailles) apportèrent au Québec la très jolie architecture géorgienne de la Nouvelle-Angleterre. On la retrouve dans les Cantons de l'Est et l'Outaouais.

4. Le style **mobile** (XXe siècle) : appelées souvent roulottes, ces maisons en forme de longs parallélépipèdes blancs, préfabriqués, d'un seul étage, caractérisent l'architecture du Nord, aussi bien au Québec qu'au Yukon. Je les aime beaucoup.

5. Le style **gagnant-du-loto** (XXIᵉ siècle): grands bâtiments de type prétentieux généralement construits en béton vénitien par un architecte qui a vu trop de films d'Alfred Hitchcock.

6. Et enfin le style **marketing** (XXIᵉ siècle), qui se définit par l'emploi d'un ordinateur, d'un mauvais programme et d'un bon copain à la mairie.

Les plus beaux villages du Québec

Près de Montréal et avant de déclarer stupidement que les municipalités du Québec sont horribles, il faut voir Saint-Antoine-sur-Richelieu, Stanbridge East, Knowlton et Stanstead dans les Cantons de l'Est. En allant vers Québec, Lotbinière, Saint-Antoine de Tilly, Deschambault, et le plus beau de tous, Cap Santé. Kamouraska, Cacouna, Saint-Pacôme dans le Bas-Saint-Laurent, Les Éboulements, Port-au-Persil, Sainte-Rose-du-Nord près du fjord du Saguenay.

ARRÊT STOP

Le village d'antan à Drummondville

Ce qui pourrait être faux, ennuyeux ou pathétique s'avère, grâce aux personnages du lieu, charmant et vivant. Les maisons reconstituées de ce village-musée proviennent souvent des environs et ont été reconstruites sur place. Le promeneur peut y entrer et un habitant l'accueille en habit d'époque. Intitulée le Syndrome de Drummondville, une étude psychologique que j'ai effectuée tout seul et gardée confidentielle, a clairement démontré que ces guides-habitants sont absolument persuadés de vivre à l'époque qu'ils incarnent. L'intérieur de l' «école de rang» sent encore l'école, le «moulin à scie» fonctionne vraiment avec une roue à eau, et les intérieurs de ces maisons sont magnifiques. On a envie de goûter à la soupe qui frisotte sur le feu auprès de l'habitante, de profiter d'une pipe et de s'endormir dans les draps blancs en écoutant pousser les asperges (1-877-10-0267).

SORTEZ VOS MOUCHOIRS

Ce bon vieux mouchoir en tissu que l'on portait sur soi depuis des siècles a disparu au profit du Kleenex, pour des raisons hygiéniques nord-américaines qui ont pour nom la peur du microbe.

Le mouchoir servait à bien des tâches. Mon père avait l'habitude, pour se rappeler de penser à quelque chose, d'y faire un nœud. Ma mère parfumait le sien de quelques gouttes d'Eau de Cologne ou de lavande, et elle le cachait toujours sous sa manche, comme faisait ma grand-mère. Néanmoins, c'est le cas de le dire, ma mère ne se mouchait pratiquement jamais. Mon père, au contraire, y allait de longues salves (qui énervaient ma mère) et que nous appellions la «trompette». Comment, dans un Kleenex, peut-on faire la trompette?

Le mouchoir servait aussi à s'éponger le front, parfois à s'essuyer la bouche ou à interrompre un saignement de nez. Mais, de tous, l'usage que je lui préférais, totalement disparu aujourd'hui, était celui de pochette. Négligemment arrangé sur le veston, il tenait alors son rôle le plus auguste, et que j'ai tant aimé. Combien de fois, moi qui ai fait tant pleurer les femmes, n'ai-je pas sorti ce mouchoir blanc, comme un magicien avec une colombe, que je leur tendais, et qui s'ouvrait tout à coup, dans une voiture, un restaurant obscur? Elles disaient «merci» en sanglotant, l'approchaient de leurs yeux pour constater que leur maquillage avait coulé car on n'avait pas encore inventé le *waterproof*, et elles disaient, fragiles et magnifiques: «Je dois être affreuse!». Je savais, dès qu'elles me remerciaient, qu'elles me pardonnaient; et quand je leur répondais: «Tu es splendide», que leur peine était finie. Et la mienne aussi.

Il est certain qu'il faudrait, dans la même occasion aujourd'hui, se tortiller dans tous les sens pour trouver un Kleenex dans le véhicule. L'idée n'est évidemment plus la même. Quand je sortais ma pochette, je me déshabillais, en quelque sorte, je me défaisais d'un accessoire personnel pour le transformer en outil de consolation. Avec un Kleenex, je suis distributeur.

Mais il paraît que les femmes ne pleurent plus du fait qu'elles se jugent aussitôt dépendantes affectives, ce qui est une grave maladie. Donc tout va très bien: ce n'est pas la crainte des microbes qui a fait disparaître mon ami le mouchoir; c'est la peur des larmes.

Mais voici une bonne raison de pleurer. Si l'on prenait un Kleenex et qu'on pratiquait un immense zoom arrière, ou que, suivant son histoire à l'envers, on remontait vers le détaillant qui l'a vendu, le grossiste qui l'a acheté, et le producteur qui l'a fabriqué, que verrait-on, à la dernière étape? Un arbre par terre. Des milliers d'arbres abattus, la disparition du caribou des bois en Abitibi, l'augmentation du nombre de chômeurs en région; on verrait des oiseaux qui s'envolent effrayés, des terres asséchées, et des trous en plein cœur du poumon du monde. Car les mouchoirs en papier sont faits d'arbres arrachés à la forêt boréale.

Les seuls Kleenex ne sont pas responsables de tout ce désastre, mais ils y contribuent si fort que Greenpeace a monté une campagne concrète, pratique et gratuite sur son site, avec des lettres pré-écrites à envoyer aux responsables de cette destruction, des autocollants à afficher partout et un conseil très simple: n'achetons pas de Kleenex. Ne nous torchons pas non plus le derrière avec les marques de papier hygiéniques Choix du Président (n'est-ce pas une dénomination ridicule pour un tel produit?), Sans Nom, Personnel, Charmin, etc. N'essuyons pas tout avec les essuie-tout Scott Towels, Life, Bounty, White Swan. Car il existe partout des papiers recyclés pour faire la même chose à des prix acceptables (Super C, Cascades, etc.). Et il y a encore plus simple: utiliser des tissus. Des mouchoirs, des vadrouilles, des loques, des guenilles, des chiffons, des torchons et des serviettes en coton plutôt que du papier, qui n'infligent aucun traitement inhumain à nos frères les arbres.

Ne méritent-ils pas mieux? Ne pourrait-on en faire des violons, des maisons et des meubles plutôt que de se moucher dans leurs cadavres? Déjà ont disparu du Québec les pins blancs immenses, les ormes splendides qui émerveillaient Jacques Cartier et se sacrifèrent pour le Québec. Nulle part ou presque on ne voit plus d'arbres multiséculaires, arrachés par des calculs à court terme pour faire la fortune de gens dont il ne reste rien.

Je serai le dernier peut-être, mais tant que je vivrai j'agiterai mon petit drapeau blanc complètement recyclable dans la lessiveuse, comme un signe de paix envers les arbres, les caribous et mon Canada bien-aimé. Et je ferai quelque chose.

Auparavant, visitons les bois.

La flore et la faune

LA FLORE

La forêt québécoise occupe la moitié du territoire. Du nord au sud on distingue, nous l'avons tous appris, la toundra, la taïga aux «bosquets chétifs et clairsemés», la forêt boréale (70 % du territoire forestier) dominée par l'épinette noire, puis la forêt mélangée (résineux et feuillus) et enfin la forêt dénommée décide, composée uniquement de feuillus (érables à sucre, hêtres, bouleaux jaunes).

Il existe 150 espèces d'**érables** dont seulement 10 indigènes. L'érable à sucre ne pousse que dans l'est du Canada, en Nouvelle Écosse et à la frontière du Manitoba. Le Québec fournit 73 % de la production mondiale de sirop d'érable. Passons sans transition aux **canneberges**, car ce fruit possède des vertus étonnantes: selon le professeur Desjardins (évidemment), la canneberge agit dans la prévention de la carie dentaire, des ulcères d'estomac et sans doute du cancer. On a longtemps cru que le pouvoir thérapeutique de la canneberge résidait dans sa capacité à rendre acide le milieu à l'intérieur de la vessie, à un point tel que les bactéries ne pouvaient y survivre. Depuis, plusieurs recherches ont démontré qu'il serait plutôt attribuable à une classe de molécules contenues dans le fruit, les proanthocyanidines. Ces molécules se fixent sur la bactérie en des points appelés pilis qui, comme de petites pattes, servent au micro-organisme à s'ancrer sur une muqueuse. Une fois ses «ancres» prises d'assaut par ces molécules, la bactérie ne peut plus adhérer à la paroi de la vessie. De la vessie, je passe ensuite aux autres végétaux du Canada, car de très nombreuses plantes ont des vertus diurétiques et je le démontre:

L'airelle du Canada, dit aussi **bleuet**, combat la diarrhée; la **verge d'or** du Canada se boit pour soulager les maux de gorge et les troubles de la vessie; les fruits du **maïenthème** du Canada (muguet) combattent la constipation et favorisent les sécrétions d'urine; le **sureau** du Canada (sureau blanc), pris en infusion, lutte contre les affections urinaires; le **cornouiller** du Canada (Cornus canadensis Linnaeus), appelé aussi pain de perdrix, est diurétique, comme l'**If** du Canada (taxus canadensis Marshall). Le Canada est un pays qui purifie, je l'ai toujours dit, et même ses plantes y participent.

LA FAUNE

Commençons par insulter la **mouche noire**. D'abord, elles ne sont pas toutes noires, certaines espèces étant plutôt rouges ou grises, et parfois même quasiment jaunes. On ne reconnaît donc pas cette bestiole à sa couleur mais à son thorax bombé.

La plupart des mouches noires piquent les oiseaux, mais beaucoup s'en prennent également à moi. Décortiquons donc une mouche noire avec plaisir: la griffe située à l'extrémité des pattes de la femelle comporte une dent dont elle se sert pour mordre le jour (surtout en début de matinée et vers la fin de la journée). Ces crapules attaquent en silence, sans bourdonnement, et mordent dans la chevelure, le cou et aux chevilles. Toutes ne mordent pas, mais la majorité s'introduit dans tous les orifices. Les femelles pondent leurs œufs comme les Canadair : elles survolent la surface de l'eau et laissent tomber leur progéniture au fond. C'est pourquoi on tente d'éliminer les œufs en traitant les cours d'eau à l'aide d'insecticides biologiques.

Les **moustiques** ont deux grands yeux, une paire d'antennes, un thorax trapu et une trompe comportant six pièces buccales, dont quatre sont carrément des couteaux. Mademoiselle s'accouple en l'air, garde la semence de son amant dans sa spermothèque et aussitôt fécondée, part en quête d'un repas de sang pour obtenir les protéines nécessaires au développement des œufs, comme d'autres s'allument une Marlboro. Elle repère sa proie grâce au CO_2 qu'elle peut détecter dans un rayon de 15 mètres, lui perfore l'épiderme, y entre sa trompe en maintenant la peau ouverte grâce à ses mandibules, et lui injecte un peu de salive anticoagulante pour garder le robinet ouvert (elle est super bien organisée) : c'est ça, justement, qui fait mal.

Dans le nord du Québec on compte jusqu'à 12 millions d'individus au kilomètre carré, soit 1250 au mètre carré. Les humains ne constituent qu'une faible partie de leur alimentation puisqu'on a retrouvé dans l'estomac de l'une de ces bestioles du sang de souris, de mulot, d'écureuil, de canard (comment font les canards pour se gratter avec leurs palmes ?) et d'autres petits mammifères, sans compter les vaches.

Mais tout ceci ne serait rien s'il n'y avait les **brûlots** qui sont de minuscules vampires passant à travers les moustiquaires, les **taons** («mouches à chevreuils» ou «mouches à cheval») qui émettent un bruit horrible avec leurs ailes en forme de deltaplane avant de frapper, et la **tique**, que je ne veux même pas décrire. Et il y a des gens qui me demandent pourquoi j'ai intitulé ce livre *Guide de Survie des Européens au Québec* !

La solution avant:

- Éviter les shampoings, les parfums, les lotions. Idéalement il faudrait éviter de se laver.

- Fumer ou allumer un feu de bois vert car les mouches noires ne piquent pas dans la fumée.

- Le seul produit protégeant vraiment des moustiques et des mouches noires est le DEET (diéthyl-toluamide) parce qu'il bloque les récepteurs qui leur permettent de nous identifier. On en trouve notamment dans la lotion Watkins.

- Sans insecticide, les gens de Laval (à cause de la Rivière des Mille-Îles) ou de Blainville (à cause des tourbières) se gratteraient à sang pendant tout l'été. À Drummondville, par exemple, des chercheurs ont capturé autour d'une seule personne plus de 3000 mouches noires en cinq minutes.

La solution après:

- Appliquer un morceau de glace.
- Prendre un bain avec 250 millilitres de bicarbonate de soude.

Les insectes mangent l'homme, mais les oiseaux mangent les insectes. Le **moineau** a été importé d'Angleterre à New York en 1850 et s'est répandu dans toute l'Amérique du Nord grâce au train. Certains individus venaient en effet picorer les grains qu'on y transportait et se sont multipliés sur le continent. On en trouve jusqu'au 52ᵉ parallèle. L'**étourneau sansonnet**, introduit à New York pour lutter contre les insectes, s'est aussi répandu dans tout le Canada. Ce sale immigré ravage non seulement les cerisiers et les récoltes, mais il déloge le **pic flamboyant** et le **tyran huppé** de leur nid, après avoir perforé leurs œufs qu'il jette ensuite par terre. Qu'attend le ministère de l'Immigration pour réagir?

Le **lombric**, le **sanglier**, la **vache**, le **chat**, le **poulet**, le **mouton**, la **chèvre** et l'**âne** sont également des fils d'immigrés. Laissons ces ethnies et passons aux authentiques québécois.

L'**ours**: au Québec, on dénombre cinq décès dus à des attaques d'ours, le dernier datant de 2003. Dans l'Ouest canadien les morts sont beaucoup plus nombreuses car l'ours brun, inconnu au Québec et aussi appelé grizzli, souffre d'un tempérament plus agressif.

L'ours québécois est noir ou blanc, néanmoins 1% des ours noirs sont bruns. On le chasse par plaisir, par gourmandise, et pour sa vésicule biliaire à la réputation médicinale. Selon les Micmacs, quand un ours se sent piégé, il se dresse sur les pattes arrières et ferme les yeux pendant quatre secondes. C'est à ce moment qu'il faut lui enfoncer le couteau dans le cœur. Très facile ce truc. On compte 15 000 ours blancs au Canada, dont de nombreux au Québec, où leur chasse n'est pas contingentée.

Le **glouton** («carcajou», «gulo gulo»): d'un poids moyen de 15 kilos et de la taille d'un petit ours avec une longue queue, ce petit monstre est souvent décrit comme l'animal le plus féroce de la terre. Essentiellement charognard, mais chasseur à ses heures, le carcajou peut s'attaquer à un orignal fatigué, que dire dès lors d'une belette? On ne sait s'il en existe encore au Québec.

Le **cougar**: en 2005, après 20 ans d'hésitations, le ministère des Ressources Naturelles a finalement confirmé la présence de cougars dans les régions du Saguenay-Lac-Saint-Jean et le Parc des Laurentides avec des preuves irréfutables, en l'occurrence des échantillons de poil permettant l'analyse d'ADN.

L'**orignal** évidemment: son nom vient du basque orignac, qui signifie élan. Il mesure 2,5 mètres de hauteur, peut peser jusqu'à 600 kilos et provoque 1500 collisions automobiles par an. Surtout actif au coucher du soleil, il bondit sur la chaussée, heurte le pare-brise et l'avant du toit: il est pratiquement impossible de l'éviter. On le trouve dans toutes les grandes zones boisées et abondamment dans la Réserve faunique des Laurentides où l'on a aménagé des clôtures, des zones de passages et des mares salines car l'animal se délecte du sel que l'on répand sur les routes. On a même conçu un système de détection au laser qui actionne des panneaux clignotants situés en bordure de route lors de l'approche d'un cervidé. L'espèce humaine, quand elle conduit, dispose d'un seul moyen de prévention : le frein.

Le **cerf de Virginie** : bien moins dangereux que les orignaux puisqu'ils ne mesurent que 1,50 mètre pour une centaine de kilos, ceux-ci causent le tiers des accidents de la route en Estrie où ils abondent. Les collisions surviennent surtout en juin-juillet et en octobre-novembre, au coucher du soleil ou à l'aube.

Le **loup** : on compte près de 7000 loups au Québec, aussi bien en Abitibi que dans les Laurentides, la Côte-Nord, la Mauricie, le Saguenay et le Nord. En 1974, deux travailleurs forestiers ont été attaqués par quelques individus, qui semblent de plus en plus croisés avec des coyotes, ce qui menace l'espèce. Tous les amoureux des meutes doivent visiter le Refuge de Michel Pageau, «l'homme qui parle avec les loups» : www.refugepageau.ca

La **mouffette rayée** : elle lève la queue, tourne le dos à son adversaire et projette un double jet nauséabond. C'est vraiment une technique de lâche, mais ça marche très bien. Elle peut envoyer jusqu'à six jets très précis qui se dispersent dans un rayon de 5 mètres. «Séquence Aux abris», dirait Nicolas Hulot. On se nettoie au jus de tomate.

Le **colibri** : chaque année, le colibri vient au Québec en provenance du Venezuela, parcourant une distance de plus de 700 kilomètres (à vol d'oiseau bien entendu). Comme ses ailes battent de 22 à 70 fois par seconde, notre œil ne peut percevoir qu'un mouvement flou. On prétendait autrefois qu'il voyageait sur le dos des bernaches…

La **tourterelle du Canada** («ectopiste migrateur») : Buffon l'avait également appelée tourterelle d'Amérique. Un peu plus grande que celle que nous connaissons, elle a disparu, mais on en voit une reproduction sur mon blogue (http://vivrelequebeclibre.over-blog.com). La tourterelle a subi le «plus terrible exemple de massacre en masse de l'histoire de la faune sauvage[16].»

16 PONTING C., *Le viol de la terre*, Nil Éditions, Paris, 2000, p.174.

Il en existait autrefois cinq milliards en Amérique du Nord. Il y a des jours, écrivait un colon américain, où ces oiseaux passaient en vol tellement compact qu'ils obscurcissaient le ciel. À la fin du XIXᵉ siècle, dans le Michigan, des témoins rapportent des migrations d'un kilomètre et demi de large passant dans le ciel pendant quatre ou cinq heures d'affilée. La «tourte voyageuse» résidait dans le sud du Canada en été, où elle nichait depuis les Maritimes jusque dans le sud du Québec.

Mais ses volées étaient si serrées qu'elles formaient une proie facile: un seul coup de fusil pouvait en abattre trente ou quarante. Et ces milliards de tourterelles furent mangées, par les New-Yorkais essentiellement. Le développement des moyens de transport et le faible coût de ce gibier si facilement abattu en firent un mets de choix. En une seule journée, le 23 juillet 1860, on expédia vers l'est 235 200 oiseaux du Michigan. En un an, ce chiffre atteignit 7,5 millions pour cette seule région, dans le cadre d'un commerce légal et parfaitement organisé. Quelques années plus tard, il ne restait plus une seule de notre tourterelle sur la Terre. Celle que les ornithologues avaient qualifiée de plus bel oiseau du monde mourut en captivité, en 1914. Je n'ai pas l'heure ni le jour. Mais il ne m'étonnerait pas que ce fût celui de la déclaration de la Première Guerre mondiale. Comprenne qui pourra.

Des millions d'oiseaux migrateurs passent chaque année par le Québec. On les observe principalement aux endroits suivants:

- **Centre d'interprétation de Baie-du-Febvre** (450-783-6996): l'oie blanche (oie des neiges) passe l'hiver sur la côte Est des États-Unis. Après un vol de 900 kilomètres à 1000 mètres d'altitude sans escale, elle vient se poser au Lac Saint-Pierre à partir de la fin mars. On y admire aussi 50 000 bernaches au repos.
- **Réserve nationale du Cap Tourmente** (418-827-5791).
- **Montmagny:** l'augmentation invraisemblable du nombre d'oies (passées de 3000 vers 1900 à plus d'un million aujourd'hui) les a conduites à adopter un autre aéroport près de la déprimante ville de

Montmagny, en face de Cap Tourmente. Elles y viennent en octobre, quand elles descendent du nord (418-248-3954).

- En automne (septembre) passe également la sauvagine que l'on peut observer au **Parc National de Plaisance** (Outaouais) (1-800-665-6527).

- Obtenir des nouvelles des migrations : l'**observatoire des oiseaux de Tadoussac** suit les migrations depuis 1983 et propose d'envoyer aux amateurs des nouvelles des vols tous les vendredis jusqu'en juin. Il suffit d'en faire la demande à oot@explos-nature.qc.ca

On peut voir la quasi totalité des espèces canadiennes dans l'admirable, le fantastique «zoo» sauvage de Saint-Félicien. Sur plusieurs hectares on y a reproduit le Canada tout entier : la forêt boréale, les Prairies, les Rocheuses, que l'on parcourt dans un petit train car les animaux y vivent en semi-liberté. Au passage, on visite des fermes, des cabanes, des camps de bûcherons à côté d'ours en pleine sieste, de chiens de prairies adorables, de bisons qui chargent, d'orignaux qui broutent. À l'entrée du zoo, ne pas manquer le film multimédia qui réserve des surprises. Un endroit unique au monde, rempli de Français en vacances (1-800-667-5687).

Faire quelque chose

Selon le WWF, en raison de son étendue géographique, «les possibilités de conservation au Canada sont tellement exceptionnelles que toute action dans ce sens a un énorme impact à l'échelle mondiale.»

Dans l'un des derniers pays occidentaux à posséder des espaces naturels intacts, de grands artistes comme Richard Desjardins et Roy Dupuis se sont impliqués concrètement. Le premier, qui a chanté que le cœur est un oiseau, milite afin qu'au moins 20 % de la forêt boréale soit entièrement protégée. Le second s'est engagé contre de nouveaux travaux de barrage à la Baie-James. Des centaines de milliers de Canadiens agissent et nous pouvons :

- **Visiter** le site greenpeace.ca
- **Acheter du papier recyclé:** via un groupe d'achat (www.laplume-defeu.com 514-361-9002 et papier@laplumedefeu.com).
- **Boire une bière:** les bières Rescousse et Escousse sont brassées exclusivement au profit des espèces menacées ou vulnérables. Pour chaque bouteille vendue, une redevance est versée à la Fondation de la faune du Québec afin de financer des projets de recherche, d'aménagement ou d'éducation visant la protection de la faune en péril (info@rescousse.org, uniquement à la SAQ).
- **Choisir une carte de crédit:** pour promouvoir et faire progresser la cause environnementale, la Fondation québécoise en environnement s'est associée à Visa Desjardins pour proposer la carte «Affinité». Chaque fois qu'on utilise la carte Visa Desjardins – Fondation québécoise en environnement, un pourcentage de la valeur des transactions est remis à la Fondation (514-849-3323 ou 1-800-361-2503 et info@fqe.qc.ca).
- **Adopter une rivière:** on reçoit un certificat d'adoption de la rivière qu'on désire protéger et pour laquelle on verse une cotisation minime (514-272-2666 ou 1-866-774-8437 et www. rivers-foundation.org).
- **Signer une pétition:** Révérence Rupert lutte contre la création de nouveaux aménagements hydroélectriques sur le territoire d'Eeyou Istchee / Baie-James, tel le projet Eastmain 1-A - dérivation Rupert. Signer la pétition en faveur de la sauvegarde de la rivière (www.reverencerupert.org). Une pétition en ligne existe également pour sauver des coupes forestières les forêts de l'île René-Levasseur (www.soslevasseur.org).
- **Compter:** la simple observation de la nature est une opération extrêmement rentable. Des études ont montré que les activités organisées autour du passage annuel des oiseaux migrateurs dans les principaux sites du Québec rapportent 19 millions de dollars, c'est-à-dire vingt fois plus qu'il n'en coûte en impacts divers[17].

17 Étude des impacts socio-économiques. La sauvagine en migration dans le Québec méridional, Groupe Conseil Genivar, 2005.

- **Donner:** Conservation de la Nature est une OSBL (organisation sans but lucratif) privée qui s'est donné pour mission de conserver la nature du Québec. Avec les fonds recueillis, l'association rachète des territoires en danger. Elle a ainsi récupéré plus de 21 000 acres (on prend sa calculette et on pose: 21 000 X 0,405 hectare = 8505 hectares). Cette initiative privée protège le territoire du loup dans les Laurentides, du héron à Montréal (îles des Rapides de Lachine), et de la pie grièche en Outaouais. Sans parler de la tortue des bois, ni du hibou des marais (1-877-876-5444 et www.conservationdelanature.ca, quebec@conservationdelanature.ca).

- **Se renseigner:**
  ABAT: Action Boréale de l'Abitibi-Témiscamingue (819-762-4967 et www.actionboreale.qc.ca).
  UQCN: Union québécoise pour la conservation de la nature (418-648-2104 et www. uqcn.qc.ca). www.wwf.ca
  RQGE: Réseau québécois des groupes écologistes. Le RQGE est un organisme agissant dans la divulgation d'information et la mise en relation des groupes environnementaux du Québec (514-392-0096 et www.rqge.qc.ca).

- **Regarder:**
  La Paix des Braves: un documentaire de Jean-Pierre Maher.
  L'Erreur boréale: un documentaire de Richard Desjardins et de Robert Monderie.
  Boréalie de neige et de feu et *Boréalie 11,* la fibre du Nord de Jean-Louis Frund.
  Rivières d'argent: un documentaire sur les rivières du Québec et l'exploitation de mini centrales hydroélectriques.

- **Écouter:**
  Le huard, le caribou, le castor et tant d'autres: http://vivrelequebeclibre.over-blog.com

CASTOR ET PEAU DE LUXE

Le castor est, avec Le Corbusier, un des seuls mammifères capable de modifier intentionnellement son environnement. Pouvant ériger des canaux de flottaison pour le bois nécessaire à ses barrages, ayant créé un système d'isolation maintenant dans sa hutte une température de 8 à 12°C en plein hiver, monogame fidèle et travaillant en groupe, dit La Fontaine

Chaque castor agit
Commune en est la tâche
Le vieux y fait marcher le jeune sans relâche
Maint maître d'œuvre y court et tient haut le bâton
La république de Platon
Ne serait que l'apprentie
De cette famille amphibie

Les conséquences de ce travail sont hallucinantes: en abattant des arbres (216 par an) pour bâtir des réserves d'eau, le castor crée des clairières dans les forêts qui attirent de multiples espèces. Les mares appellent les insectes; ceux-ci allèchent le bruant, l'hirondelle et bien d'autres oiseaux. Les crapauds, grenouilles et tritons se reproduisent dans les étangs, amenant à leur tour les hérons et les ratons laveurs qui s'en nourrissent. Le vison, l'orignal et la loutre, grands amateurs des milieux aquatiques, viennent y boire et y manger (l'orignal adore les tiges sucrées de nénuphar). Bref, il y a des animaux à plumes et à poils, mais on pourrait baptiser le castor d'animal à conséquences. Car voici le plus incroyable.

On envisage toujours l'histoire du point de vue humain du fait que nous sommes les principaux intéressés, mais dans le cas de la

Nouvelle-France, le principal intéressé, celui qui en a causé le peuplement, celui grâce auquel nous parlons français, celui qui a enfin bouleversé l'histoire du monde, c'est le castor.

Au XVIIe siècle, les castors vivaient, industrieux, à détourner les rivières, abattre des arbres et configurer le Canada. «Ils faisaient pour les Sauvages dans la Nouvelle-France, dit Chateaubriand, ce qu'un esprit ingénieux, un grand roi et un grand ministre ont fait dans l'ancienne pour des homme polissés.» Chassés par les Indiens qui en utilisaient une trentaine par famille pour la chair et la peau, on les estime à 10 millions: jusqu'au jour où la morue les dénonça aux pêcheurs.

En effet, c'est la morue qui a mené au castor: les pêcheurs européens, français et basques surtout, suivaient leurs bancs depuis le début du XVIe siècle et l'on estime que, dans les années 1580, plus de 10 000 marins traversaient l'Atlantique chaque année[18]. Ils pêchaient ce poisson pour sa chair, bien entendu, d'autant que les jours maigres étaient nombreux sur le continent. Mais aussi pour l'huile de morue qui, avec celle de la baleine, éclairait l'Europe tout entière.

On pratiquait à l'époque deux sortes de pêches: la «pêche verte» consistant à nettoyer et saler le poisson à bord, et la «pêche sèche» où l'on descendait sécher la morue sur la terre ferme. Dans ces excursions, les marins ne tardèrent pas à rencontrer les populations locales, et à faire du troc contre des fourrures aussitôt rapportées en Europe. Dès 1570, soit bien avant les premiers établissements français, on voit des pelleteries nord-américaines mentionnées dans les inventaires d'artisans parisiens[19].

Le castor européen, le «bièvre», avait fourni au Moyen Âge beaucoup de ses poils, mais sa quasi-extinction et un approvision-

18 DICKINSON J-A., YOUNG B., Brève histoire socio-économique du Québec, Septentrion, 2003.
19 ALLAIRE B., Pelleteries, manchons et chapeaux de castor, Septentrion-Presses de l'Université de Paris Sorbonne, 1999.

nement rendu difficile par les guerres européennes avaient peu à peu évacué la fourrure de la mode. Voici alors ce qui changea la face du monde, en commençant par la tête des Français : dans les années 1580, le bonnet traditionnel (sous lequel on peint toujours François Ier) se laissa supplanter par le chapeau de feutre. Ce feutre était généralement fabriqué en laine d'agneau qu'on devait teindre, car on préférait les chapeaux noirs. En comparaison, le castor offrait des poils naturellement foncés et de qualité supérieure. Des croyances populaires ajoutaient des vertus à ces avantages, puisque, disait-on, porter un chapeau de castor rendait intelligent ou permettait de recouvrir l'ouïe (on croyait également que le massage du cuir chevelu à l'huile de castor permettait d'acquérir une mémoire phénoménale). Il n'en fallait pas davantage pour que les jours du *castor canadensis* soient comptés.

Les marchands européens tentent donc rapidement d'obtenir des monopoles régionaux en vue de fournir l'Europe en fourrures. En 1603, Henri IV se laisse convaincre par un de ses anciens compagnons d'armes protestant, Pierre Du Gua, et lui octroie un monopole de 10 ans sur le commerce des peaux canadiennes : en contrepartie, ce dernier s'engage à fonder une colonie de peuplement en Acadie. Le 10 avril 1604, Du Gua De Monts part avec deux navires et 200 hommes. L'expédition compte, outre des marins, un prêtre catholique et un pasteur protestant, un interprète noir et un mineur croate, ainsi qu'un géographe catholique, Samuel de Champlain. Le 13 mai, le bateau accoste en Nouvelle-Écosse et, attendant le second, s'arrête finalement pour passer l'hiver à la minuscule Île Sainte-Croix (Dochet Island, aux États-Unis), où se dresse aujourd'hui un mémorial. Sur les 80 colons hivernant, 36 meurent du scorbut. Peu de temps après, le monopole de Du Gua tombe, et en 1607 le premier établissement français doit fermer ses portes. La même année, les Anglais débarquent en Virginie et y fondent une colonie de tabac : l'Amérique anglophone naît quand la Nouvelle-France agonise.

Après Du Gua, diverses compagnies tentent d'exploiter la fourrure. Mais les Français ne parviennent pas à organiser un approvisionnement stable parce que les Montagnais et les Hurons, disposant d'un réel monopole de distribution, leur empêchent l'accès direct aux fournisseurs de l'intérieur. Au milieu du XVIIᵉ siècle, vaincus par les épidémies et les guerres, ces intermédiaires ne peuvent plus assurer le transport des peaux jusqu'à Trois-Rivières et Québec. Les Français n'ont qu'une issue : le faire eux-mêmes. C'est le début des coureurs des bois.

Ceux-ci pénètrent de plus en plus à l'intérieur des terres, commercent avec les Amérindiens, font l'amour et la traite et, selon l'expression de l'époque, « s'ensauvagent ». Pendant que les exploitants s'enrichissent dans des proportions inimaginables en raison d'une demande presque illimitée de fourrures, les coureurs des bois rencontrent les cultures indiennes, apprennent leurs langages et découvrent l'Amérique en chassant le castor de plus en plus loin car il se fait de plus en plus rare.

Tous les écrits français de l'époque rapportent la fascination que ressentirent les Européens devant le mode de vie indien. L'absence apparente de classe sociale, de droit de propriété et de hiérarchie s'inscrivent en totale opposition avec la société française. Peu à peu, il apparaît qu'une société différente est possible. Montaigne, La Hontan, Rousseau et tant d'autres voient dans cette organisation sociale un modèle nouveau pour l'humanité et il ne fait aucun doute que la culture indienne a nourri les idées du Siècle des Lumières, qui ont mené à la Révolution française. Oui, le castor qui a tant contribué à l'aménagement naturel du Canada, a indirectement érigé la République.

On peut dire que notre ami, de ce fait, a évité le massacre des populations indiennes du Canada, car les contacts entre colons et Indiens de l'intérieur s'effectuèrent dans le contexte du commerce des fourrures et non dans celui des droits territoriaux : les Français traitaient les Indiens qui habitaient à l'intérieur du Canada actuel comme des producteurs de bien précieux[20]. Grâce

20 TRIGGER B., *Les Indiens, la fourrure et les Blancs*, Boréal, 2000, p. 34.

au castor, la Canada a été épargné de cette violence américaine : les Indiens avaient raison de le considérer davantage comme un esprit que comme un animal, et nous devons tous saluer le plus beau des rongeurs quand nous le rencontrons.

Combien de châteaux, de maisons de maîtres, d'hôtels de Paris, de Bretagne et d'ailleurs ont été construits avec l'argent des fourrures ? Au Québec, c'est le castor qui a payé le château Frontenac, l'Université McGill et même la Banque de Montréal. La Compagnie de la Baie d'Hudson, l'une des plus grandes entreprises mondiales dans le domaine de la traite, a généré d'immenses fortunes individuelles dans toute l'Europe et l'Amérique, tout en modifiant considérablement les modes de vie des Amérindiens.

La vogue du chapeau de castor dure jusqu'au XIXe siècle, en Europe comme en Asie. Et soudain la mode disparaît : vers 1840, le prince Albert, prince consort et époux de la reine Victoria, popularise le port du haut-de-forme en soie, beaucoup moins coûteux.

Dénoncé sans doute par notre castor affolé, la traite se détourne vers le bison qui subira le sort que l'on sait.

Mais le castor n'a pas disparu complètement des mains du commerce, et on le trappe encore un peu partout. Les parfums Givenchy III, Shalimar (Guerlain) ou Magie Noire (Lancôme) contiennent toujours du castoreum, une substance servant de marquage chimique et d'imperméabilisant à l'animal. Car ce n'est pas le moindre paradoxe de ce petit mammifère amphibie qui a fait l'un des plus grands pays du monde, de disposer d'un anus servant à composer des parfums à la fois aphrodisiaque et anti-hystérique, et alors qu'il a créé des banques, de ne mériter que la place congrue d'une pièce de cinq cents, tout en figurant dans les armes de la Ville de Montréal, dont le commerce l'a presque exterminé.

Voir des castors

Le Parc National de Plaisance (Outaouais) héberge une multitude de castors et en propose l'observation à des périodes précises : 1-800-665-6527

Le zoo sauvage de Saint-Félicien fait encore mieux puisqu'on peut visiter l'intérieur d'une hutte avec ses habitants dans un sous-sol spécialement aménagé pour les observateurs : 1-800- 667-5687

Faire connaissance avec la trappe

Fédération des Trappeurs gestionnaires du Québec : www.ftga.qc.ca

Association des trappeurs de l'Abitibi : 819-333-3934

Association des trappeurs de la Côte-Nord : 418-233-2468

Association provinciale des trappeurs indépendants, Conseil Estrie : 819-845-4788

Association provinciale des trappeurs indépendants, Conseil Gaspésie : 418-368-4832

Association régionale des trappeurs Laurentides/Labelle : 819-597-2283

Association des trappeurs Montréal/Laval/Montérégie : 450-246-3747

Association provinciale des trappeurs indépendants, Conseil Outaouais : 819-643-9020

Association régionale des trappeurs du Saguenay/Lac-Saint-Jean : 418-544-8800

Articles de trappes : Gilles le Trappeur, Saint-Tite, 418-365-3484

Entreprise familiale de fourrure (manufacturier, détaillant) : Grenier, 1-819-734-6781

Liste des pièges certifiés du Québec : www.fapaq.gouv.qc.ca

NOS ANCÊTRES LES JÉSUITES

À peine sommes-nous de ce côté de la plage, sur l'Atlantique, que nous nous perdons en jérémiades sur la qualité du café ou l'insuffisance de la cuisine locale, certains se permettant même de publier des «guides de survie» pour s'adapter à l'un des pays les plus opulents du monde. Qu'aurions-nous fait si nous avions été Jésuites il y a 300 ans?

Nous regrettons la «préférence québécoise» dans les entreprises locales: ils craignaient que les Iroquois ne les mangent; nous rejetons les hamburgers, ils mourraient de faim. Nous nous plaignons de l'hiver, ils en décédaient. Nous comprenons mal quelques expressions typiques: ils n'entendaient pas un seul mot d'indien. Quand nous sommes fatigués de devoir nous adapter, de faire semblant de comprendre, de faire le tranquille ou de s'abstenir de commentaire, nous pouvons encore regarder TV5 en buvant un Beaujolais: les Jésuites devaient garder la cabane et au milieu des Indiens, n'avait pas même un jeu de mots fléchés pour se distraire.

Quand nos ancêtres les Jésuites débarquent en Nouvelle-France au début du XVIIᵉ siècle, ils y découvrent à peu près tout: le putois *«un symbole du péché»* car *«il est si puant, et jette une odeur si empestée»* que *«le cœur vous manque quasi quand vous en approchez»*, le colibri, *«un petit prodige de la nature»* et la différence d'heure. *«Le 27 d'Octobre (…) nous vismes une eclipse de lune, qui me confirma dans la remarque que je fis l'an passé que vous aviez en France le jour six heures et un peu davantage, plustot que nous: Car l'Almanach disoit que cette éclipse devoit arriver en France sur la minuict, et nous la vîmes sur les six heures du soir»*. Ils découvrent enfin le froid: *«J'ay souvent trouvé de gros glaçons attachez le matin à ma couverture, formez du souffle de l'haleine»*.

Mais leur plus grande découverte fut évidemment les Indiens qu'ils sont venus baptiser. L'affaire n'est pas facile car comment les convertir sans parler leur langue? Et comment l'apprendre en l'absence de dictionnaires, de grammaire et de professeurs? Ils décident donc de les suivre et de vivre avec eux.

C'est ainsi que ces hommes cultivés, urbains, fluets parfois, se retrouvent, oubliés d'à peu près tous, à passer de longs hivers dans les forêts profondes, notant les mots qu'ils entendent, rédigeant peu à peu un dictionnaire de fortune, et observant leurs hôtes dont dépend leur survie. C'est un stage d'immersion totale, un mélange de Plastic Bertrand à la *Ferme des Célébrités* ou d'Abbé Pierre au *Loft* dont nous n'avons simplement aucune idée.

La nourriture les dégoûte: «*Je les ay veu cent fois*, dit un Jésuite au bord de l'épuisement, *patrouiller dans la chaudière où était notre boisson commune, y laver leurs mains, y boire à pleine teste comme les bestes, rejeter leurs restes là dedans, car c'est la coutume des Sauvages, (...) y plonger de leur vaisselle d'escorce pleine de graisse, de poil d'Orignaux, de cheveux, (...) et après tout cela, nous buvions tous de ce brouet noir comme de l'ambroisie.(...)*»

Le dégoût les affame. Comme «*la saleté mesme fait leur cuisine*», ils se retiennent de manger leur «*salmigondis*». Mais bientôt vient la famine car la vie en forêt, l'hiver, surtout pour les Algonquins, n'a rien de réjouissant. Si la chasse ne réussit pas, personne ne déjeune, ne dîne ni ne soupe: «*Quand je pouvois avoir une peau d'Anguille pour ma journée, sur la fin de nos vivres, je me tenois pour bien déjeûné, bien disné et bien soupé*» dit un des leurs, décrivant par la suite son bonheur de se nourrir de vieilles peaux d'orignaux, d'arbres et d'écorces.

Il leur faut vivre dans des cabanes peu étanches, asphyxiés par une épaisse fumée de bois vert et l'on doit coller la joue contre le sol pour respirer l'air glacial. En été c'est à peine mieux, il faut compter sur les «*Mousquites et autre semblable engeance*» qui empêchent «*quasi les nuits entieres de fermer l'œil*».

Mais tout cela n'est rien devant le martyre dont mourront certains. Les Hurons, qu'accompagnent les Jésuites, sont en guerre constante avec les Iroquois. Le 16 mars 1649, mille d'entre eux attaquent les villages de Saint-Ignace (Ontario) puis de Saint-Louis où se trouvent le père Brébeuf et le père Gabriel Lalemant «*l'homme le plus faible et le plus délicat qu'on pût voir*». Ceux-ci font évacuer les civils puis restent aux côtés des malades et des vieillards incapables de fuir. Une centaine de Hurons les défendent mais les Iroquois sont supérieurs en nombre et les font prisonniers, puis les torturent selon la tradition. «*Dès le moment qu'ils furent pris captifs, on les dépoüilla nuds, on leur arracha quelques ongles*» et on les conduisit au village de Saint-Ignace, patron de Jésuites, et où ils devaient mourir. La suite est horrible. Comme le père Brébeuf, au milieu de ses souffrances, prêchait aux autres captifs, les Iroquois «*indignez de son zèle*» lui déchirent la bouche, lui coupent le nez et lui arrachent les lèvres. En dérision du baptême, on le baptise d'eau bouillante. On attache ensuite les deux Jésuites au poteau. On crève les yeux du père Gabriel, et on y applique des charbons ardents. Afin qu'ils n'invoquent pas le nom de Dieu en expirant, on leur grille enfin la langue avec des tisons et des flambeaux d'écorce. On ouvre la poitrine des deux Jésuites pour en arracher le cœur, que les Indiens mangent ensuite pour acquérir leur vaillance.

Cette fin horrible était non seulement prévisible, mais prévue par les futures victimes. Le père Brébeuf lui-même avait décrit à ses confrères dans un «*Aduertissement d'importance*» les dangers qu'ils courraient s'ils le rejoignaient ici: mais ils venaient quand même.

Et ils continuent de venir dans toute l'Amérique du Nord jusqu'à cet instant même. À eux seuls, les Jésuites, les Oblats, les religieuses de tous ordres ont parcouru tous les points cardinaux et toutes les latitudes de l'Amérique du Nord.

Ainsi dans l'Ouest américain, le jésuite belge De Smet, que les Indiens appellent «le Père», parce qu'il est pour eux le «*seul Blanc dont la langue n'est pas fourchue[21]*».

Profitant de son immense connaissance des tribus de l'ouest, le

21 KURTH G., *Sitting Bull in Revue Générale*, 1878, II, p. 822.

gouvernement américain lui demande d'intervenir, à l'âge de 68 ans, afin de pacifier les Sioux. De Smet pénètre les territoires et apaise une à une les bandes qu'il rencontre. Arrivé dans la vallée de Yellowstone, il se trouve face à 500 cavaliers indiens irréductibles à toute conciliation. « *Aussitôt*, écrit-il, *je fis élever mon étendard de paix, portant le Saint-Nom de Jésus sur un côté et, sur l'autre, l'image de la Sainte-Vierge Marie, entourée d'étoiles d'or* » que les Indiens prennent d'abord pour l'odieux drapeau des États-Unis. Conduit au camp, ce Flamand rencontre les chefs, dont Sitting Bull. Au matin, celui-ci lui confie : « *Robe Noire, je me supporte à peine sous le poids du sang des Blancs que j'ai versé* », et il lui conte les massacres dont son peuple vient d'être victime.

Les Indiens acceptent les propositions du père De Smet, ce qui aboutit, le 2 juillet 1868, au grand conseil de paix où sont représentées toutes les tribus du Dakota. Plus de 50 000 Indiens y participent. Comme on le sait, hélas le gouvernement américain ne tint pas ses promesses, et le Père De Smet mourut avant le dernier soulèvement des Sioux.

Pendant ce temps, les Sœurs Grises de Montréal partent pour la Baie-James s'occuper du soin des malades. Les Oblats se dispersent un peu partout, notamment dans l'Ouest et le Nord, où ils enseignent aux enfants jusque dans les années cinquante. Le missionnaire y est à la fois pasteur de son troupeau, médecin, pédagogue, conseiller en agriculture et en affaires, menuisier, compagnon de chasse et ami dévoué[22].

Certes, il est presque obligatoire aujourd'hui, quand on parle de ces missionnaires, de prendre un air critique en dénonçant l'impérialisme catholique. De stigmatiser ces « robes noires » comme on a méprisé les Pères Blancs d'Afrique, et de passer immédiatement à des considérations oiseuses sur « la position du missionnaire ». J'ai ces jugements approximatifs en horreur ; le rai-

22 POMERLEAU J., *Gens de métier et d'aventures*, Les Éditions Gid, 2001.

sonnement qui s'appuie sur les extrêmes pour faire effet de levier sur la moyenne est malhonnête. On peut toujours choisir, dans la multitude de faits en tous sens que nous propose le passé, ceux qui nous arrangent pour étayer la thèse qui nous plaît, mais on ne devrait pas faire sa religion d'un chapelet d'exceptions.

Sans doute il y a eu les tortures infligées dans les pensionnats indiens; les «enfants Duplessis» psychiatrisés puis martyrisés. Mais c'est ignorer la nature humaine que de la croire toujours méchante et profiteuse: à côté de ces scandales, pourquoi ne dit-on pas la douceur des religieuses ni l'abnégation des missionnaires? Parce qu'il est malaisé d'y croire et que l'on préfère passer pour cynique plutôt que naïf. Et pourtant! Si la nature humaine était toujours si malfaisante, pourquoi celui qui la dénonce y ferait-il exception? Au Québec, les excès de l'église catholique sont beaucoup plus connus que ses bienfaits, et tout et son contraire est «la faute des curés» d'autrefois. C'est au point que depuis cinq ans, je me demande comment un peuple qui ignore à peu près tout de son histoire parvient toujours à s'arranger pour trouver dans le passé l'explication de son avenir.

Si le Québec ne fait plus d'enfants, c'est, nous dit-on, à cause des curés qui forçaient autrefois les femmes à sur-concevoir; si le même Québec est obsédé par le sexe, c'est encore à cause des curés qui empêchaient les femmes d'y accéder. Il faudrait savoir.

Dans leur grande majorité cependant, les historiens sont unanimes à saluer la sincérité des Jésuites et des Récollets. Trigger estime que «nul ne peut contester l'altruisme qui a présidé aux activités missionnaires des Jésuites» et qu'«il est tout à fait gratuit d'affirmer qu'ils seraient allés chez les Hurons surtout dans le but de commercer avec eux ou de promouvoir les intérêts coloniaux de la France[23]». Aussi étonnant que cela puisse paraître aujourd'hui à certains, ces Jésuites, ces Augustines, ces religieux de la Nouvelle-France, issus de la contre-réforme, s'inscrivaient dans un

23 TRIGGER B., *Les enfants d'Aataentsic, l'histoire du peuple huron*, Libre Expression, 1991.

vrai courant mystique et rigoureux[24] dont l'Occident ne devrait avoir aucune gêne et dont le Québec pourrait être fier. Car ils ont, peut-être, laissé dans ce pays, une aspiration unique vers la spiritualité : on en reparlera dans 300 ans.

24 GALARNEAU C., *Histoire de l'Europe et histoire du Canada. Esquisse pour une histoire de la mentalité religieuse au Canada français*, La Société Historique du Canada, Rapport 1956, p. 26-37. DUMONT F., *Genèse de la société québécoise*, Boréal, 1997, p. 46.

Nouvel âge en Nouvelle-France

Académie de Formation de Feng Shui du Québec	450-372-1689
Approche holistique de soi	450-441-2798
Ateliers Soufis	514-885-5079
Atelier Tantrique	514-598-7715
Connaître son enneagramme	514-276-4540
Cours des anges	450-227-8581
Cours de radiesthésie générale	450-699-1246
Devenez le jardinier de votre vie	514-481-6023
Devenir votre je suis	514.575.5060
Dynamisation de la personne	514-830-9776
École de l'Intuition	450-492.5968
École des rêves	514-806-2016
Éveil des chakras	819-224-4429
Éveil de la mémoire corporelle par la réflexologie	450-672-7271
Formations en médiumnité	514-728-1662
Franc-Maçonnerie universelle	514-526-8539
Guérir par les sons	450-464-7267
Harmonisation hologramique (reprogrammation de l'ADN)	450-883-3084
Quintessences des Maîtres (parfums)	450-464-7267
Laisser s'exprimer l'amour divin en vous	514-321-2798
Médium transe profonde animée	514-388-4766
Rencontre avec le maître Hilarion	450-652-5649
Santé sexuelle et affective	514-990-5024
Spiritours (voyages)	514-331-7965
Tomber en amour avec soi	514-721-7118
Toucher thérapeutique	450-226-2260

QUAND L'OUEST ÉTAIT FRANÇAIS

Lorsqu'il fallait choisir entre les cow-boys et les Indiens, Alphonse, mon copain algérien, se retrouvait toujours du côté des Indiens, et comme c'était mon copain, je le rejoignais dans le camp des Apaches. Les cow-boys avaient des colts, mais nous avions des fusils. Quand ils restaient près du feu à boire du café (du chocolat chaud), nous les attaquions sauvagement par derrière en poussant des cris qui effrayaient ma grand-tante et on les tuait tous, sans pitié; il m'est arrivé de gaspiller en une seule fusillade la totalité des pétards que j'avais reçus pour Saint-Nicolas. Quand je les voyais morts, jonchés près de leur feu, ou se tordant encore de douleur comme ils l'avaient vu dans *Bonanza*, je me sentais enfin un homme. Auquel il ne manquait qu'une femme.

Je la retrouvais immédiatement soit à cheval sur un poney tacheté, soit très maquillée à tanner une peau de bison, dans le feuilleton de cinq heures que je regardais avec ma grand-tante. La présence de celle-ci à mes côtés était indispensable à mon bonheur. Elle était née à Bruges en 1897 et je savais qu'à cette époque, les cow-boys et les Indiens existaient toujours. En la voyant près de moi, je la sentais comme une prolongation de ce temps béni de l'Ouest et je me disais qu'elle aurait pu rencontrer cette squaw en culotte de peaux que je voyais sur l'écran et dont je faisais ma femme. Connaître quelqu'un de ce temps m'y portait moi-même, et je disais toujours à Alphonse :

– Est-ce que tu sais que ma grand-tante a vécu au temps des cow-boys ?

Il y avait juste un détail qui me chiffonnait, et que je repoussais sans cesse: ma grand-tante, étant Belge, n'aurait jamais pu connaître les bisons. Évidemment, les feuilletons se déroulaient en français, mais je savais que les acteurs étaient américains. Et quand ma grand-tante, devant un duel cruel, s'écriait «Seigneur!», j'aurais tout donné pour qu'elle dise plutôt Damned!

Damned, en effet. Hollywood nous a fait croire que ces Blancs qui chevauchaient dans la poussière provenaient uniquement de Chicago, de New York ou de Boston. Et quand on nous montrait un Français dans un saloon, il s'agissait toujours d'un freluquet, d'un pied tendre sans colt, généralement coiffeur. Quelle escroquerie!

L'Amérique était française. Pas toute, sans doute. Mais presque toute. À la fin du XVIIᵉ siècle, les trois-quarts de l'Amérique du Nord l'étaient: de la Louisiane à la baie d'Hudson et de Terre-Neuve jusqu'aux territoires de l'Ouest, au-delà des Grands Lacs et de Detroit[25]. Et l'on parlait français dans l'Ouest: elle fut la langue de la fourrure jusqu'au milieu du XIXᵉ siècle et une langue officielle au Parlement de Winnipeg jusqu'en 1890. En mitchif, langage employé par beaucoup de Métis, les jours s'appelaient laenjee (lundi), morjee (mardi), mikarjee (mercredi), zhweejee (jeudi), vaundarjee (vendredi), samjee (samedi) et jimawnsh (dimanche). Et l'on comptait aen, deu, trwaw, kaet, saenk, sis, set, wit, naef. Mais les Américains ne nous l'ont jamais dit.

En 1805, un explorateur anglais à la recherche des sources du Mississippi croise, éberlué, des Sioux qui lui disent «bonjour». Un an plus tôt, dans leur route vers le Pacifique, Lewis et Clark rencontrent, parmi un groupe de Sioux, Toussaint Charbonneau, «un vieux Français parlant la langue des différentes nations indiennes du Missouri[26]», accompagné de sa jeune épouse Sacagwea. Aux

25 HAVARD G., Empire et métissages, Indiens et Français dans le Pays d'en Haut, 1660-1715, Septentrion, Presses de l'Université de Paris-Sorbonne, 2003.

26 JACQUIN P., Les Indiens Blancs, Français et Indiens en Amérique du Nord, Libre Expression, 1996.

États-Unis, plus de 5000 localités portent des noms français, pour une raison bien simple que nous avons tous oubliée: sur les 49 états que compte ce pays, 31 ont été découverts, explorés ou colonisés par des Français de France ou d'Amérique, c'est-à-dire des Canadiens[27].

Oui, des milliers de Français ont foulé ce continent. Ils trouvent en Amérique un mode de vie impensable en Europe: la littérature du XVIIe siècle, dit l'historien Jacques Mathieu, fourmille de témoignages concordants sur l'attrait qu'ont exercé la sauvagerie et la vie indienne sur les habitants de la Nouvelle-France. Les textes traduisent une perception si unanime et si forte qu'il convient de leur faire une place spéciale. Ils se ramènent en un mot à l'expression de Marie de l'Incarnation, selon laquelle il *«est plus facile de faire des Sauvages avec les Français que l'inverse»*.

Dans la vallée du Saint-Laurent, les colons n'ont pas besoin des Indiens pour subsister après les premiers établissements. Mais dans le reste du continent, ils en dépendent et vivent ensemble. On combat l'ennemi côte à côte, on s'enseigne l'art de la guerre, on se soigne mutuellement, on marche les uns derrière les autres sur la piste des bisons, on se presse ensemble dans les loges à sudation, bref, il n'existe aucun compartimentage ethnique[28]. Et bien sûr, on fait l'amour pour des raisons que les historiens ne s'expliquent pas bien, alors qu'elles semblent si faciles à comprendre. *«Il est certain qu'il n'y a point de sauvagesse, je ne sais par quelle inclination, qui n'aime mieux à se marier à un médiocre François qu'au plus considérable de sa nation»* dit Cadillac en concluant qu'il n'y a «d'autre raison que la plus ordinaire qui est que les étrangers sont préférés». En ce qui concerne les Français, écrit l'historien Philippe Jacquin, «hantés par la représentation médiévale de la femme sauvage – symbole de la source primitive de la sexualité –, la permissivité de

27 MONTBARBUT J., *La toponymie française des États-Unis d'Amérique*, Éditions Pierre Tisseyre, 2000.
28 HAVARD G., *op. cit.* p. 532.

l'Indienne est associée à de puissantes pulsions libidinales et à des prouesses sexuelles[29]. Ils s'en donnent à cœur joie, d'autant que, pendant un moment, les alliances avec les Amérindiens sont perçues par le gouvernement royal comme un moyen de peuplement et de fusion entre les peuples: Louis XIV offre aux Amérindiennes une dot de 50 livres pour faciliter leur mariage. Cette politique échoue car elle est découragée par l'Église qui ne peut empêcher dans les faits les unions libres mixtes, longtemps sous-estimées par l'historiographie québécoise traditionnelle pour des raisons idéologiques[30]. On «*court l'allumette*» selon l'expression de l'époque: comme, avant le mariage, les Indiennes disposent d'une véritable liberté sexuelle, «*les garçons les vont visiter la nuit dans leurs cabanes et ils allument une allumette pour connaître la fille qu'ils cherchent. Lorsqu'ils l'ont trouvée, si elle veut les recevoir, elle souffle cette allumette*». Dans l'Ouest, les Français jouissent d'une véritable hospitalité sexuelle, systématique dans les villages indiens des Plaines et du Missouri. Un mémorialiste note à propos des Sioux que «*pour prouver leur amitié à ceux qu'ils aiment, ils leur offrent des femmes, c'est leur faire injure que de les refuser*». Mon Dieu, que les Parisiens devaient aimer ça! De passage chez les Apaches, un témoin rapporte que «*nos soldats alloient (…) en festin avec permission les uns avec les autres. On leur offroit mille caresses et ils leur offroient de leurs filles*», ce que confirme le Jésuite Hennepin observant que «*quand quelque homme qui n'a point de femme passe par un village, il en loüe pour une nuit ou pour deux selon sa fantaisie, & les parens n'y trouvent rien à redire, bien loin de cela ils sont tres aises que leurs filles gagnent quelques hardes ou quelques pelleteries.*»

Que reste-t-il de cette aventure française? Au point de vue linguistique, évidemment, le Québec d'abord, et les nombreuses communautés francophones du Canada qu'on n'aidera jamais assez à maintenir le fait français. D'un point de vue géographique, le nom de bien des villes et des villages. Ainsi celui de

29 JACQUIN P., *op. cit.*
30 HAVARD G., *op. cit.* p. 652.

Montmartre, situé au sud-est de Regina, sur une ancienne réserve indienne fondé par des Parisiens à la fin du XIXe siècle et baptisée du nom de la ville de départ de ces aventuriers; le petit territoire Saint-Pierre et Miquelon, dernière possession française en Amérique du Nord. Mais il semble que le reste soit passé à la trappe de l'histoire. «Notre mémoire collective, dit l'historien Havard, semble avoir tiré un trait sur l'aventure coloniale française dans le continent nord-américain, comme si le dédain de Voltaire, qui ne voyait dans le Canada, que "quelques arpents de neige" ou des "déserts glacés" s'était insidieusement transmis aux historiens. Seules émergent dans la mythologie coloniale française quelques figures héroïques comme Jacques Cartier, Samuel de Champlain ou Cavelier de La Salle, cependant que maints personnages importants et hauts en couleurs de l'histoire de la Nouvelle-France, y compris d'ailleurs pour les Québécois et les Canadiens, semblent devoir rester dans l'ombre: qui a entendu parler de l'intrépide Nicolas Perrot, explorateur, coureur des bois, interprète et diplomate auprès des nations amérindiennes des Grands Lacs; du bouillant Lamothe Cadillac, le fondateur de Détroit, qui fut aussi gouverneur de la Louisiane; de l'impertinent baron de Lahontan, l'un des inventeurs de la figure du Bon Sauvage, véritable précurseur des Lumières; de l' «ensauvagé» baron de Saint-Castin, officier français devenu chef de la tribu abénaquise où il avait pris femme; du chef huron Kondiaronk, artisan de la Grande Paix de Montréal de 1701? (…). Il y a un autre indice, plus troublant encore: si les acteurs de l'histoire coloniale française demeurent méconnus, il n'en est rien de Buffalo Bill, de Calamity Jane, de Geronimo, de Sitting Bull, comme si, par l'intermédiaire des romans, du cinéma et de la télévision, l'histoire de l'Amérique anglo-saxonne devait prévaloir parmi nous sur celle de l'Amérique française.» Ces héros, poursuit-il, ne correspondaient pas à l'image que l'Amérique voulait donner, ni à celle à laquelle prétendait le Québec colonisateur, civilisateur et catholique. Où sont, dans notre mémoire, le français Jean d'Artigue, installé à

Montréal puis engagé dans la police montée en 1874, chassant les aventuriers yankees qui fournissaient de l'alcool frelaté aux Indiens, *damned* de *damned*, vainquant enfin ces rascals puis presque marié de force à une Cri? George Bossange, jeune intellectuel fils de libraires, arrivé dans l'Ouest canadien en 1881 et finissant sa vie dans son ranch avec sa jeune femme, une métisse Indienne? Jean Caux, conducteur des *pack-trains*, longues caravanes d'une cinquantaine de bêtes de somme acheminant des marchandises vers le Nord-Ouest pendant un demi-siècle et à travers tous les temps? Et le Canadien français Radisson, parlant sept langues dont cinq indiennes, explorateur, navigateur, visionnaire, courtisan à Versailles et Iroquois dans le bois?

Même la noblesse française a conquis l'Ouest canadien, s'est transformée en cow-boy tout en ayant soin de maintenir son rang: elle fait venir des chevaux pur sang, des chiens de race, et les plus fins harnais pour l'équitation et la promenade. Circulant en équipage, dit un témoin, ces comte Louis de Chauny, vicomte Bernard de Chaunac-Lanzac, baron de Reinach-Werth, comtesse de Cathelineau et tant d'autres, apparaissaient sur les pistes sinueuses de la prairie avec pour unique spectateur probable un *gopher* (marmotte) solitaire ou un faucon, formant un contraste féerique avec «les Cris au visage peint, drapés dans des couvertures, et leurs squaws portant papooses ficelés au dos[31].»

L'épouse de ces aristocrates, affirme un conquérant des plaines, «digne compagne de son mari, montra aux colons anglais et américains du Far West, qui la virent à l'œuvre, ce que peut la femme française transplantée hors du milieu bourgeois où, en France, l'étranger se la figure occupée exclusivement de chiffons.» S'il le faut, elle fera même le cow-boy. «Plus d'une fois, ma femme est montée à cheval, culottée en homme et, le fouet à la main, m'a rassemblé, ramené mes chevaux égarés, indociles à ma

---

31 Miss L. W.D. Park cité dans FRÉMONT D. *Les Français dans l'Ouest canadien*, Les Éditions du Blé, Saint-Boniface (Manitoba) 3ᵉ édition, 2002, p. 26.

voix» conclut un marquis français.

Oui, avant que l'Amérique anglophone ne débaptise David de Crocketagne, descendant de huguenots français, pour Davie Crockett, l'Ouest était français. Et ma grand-tante totalement légitime quand elle regardait *Bonanza*.

Car Danse avec les loups, c'était nous.

- Le monument **Alneau-LaVérendrye** à Saint-Boniface (Winnipeg) indique un endroit où se trouve un coffre scellé, contenant les ossements de personnes qui furent victimes des Sioux en 1736, notamment le père Jean-Pierre Aulneau et Jean-Baptiste de La Vérendrye.
- Navasota (Texas): on y trouve une statue de **Cavelier de la Salle**, donnée par la France en 1930.
- **Fort Toulouse** (Wetumpka, Alabama). Le fort français a été reconstitué, on y voit des manœuvres françaises et des artisans: 1-334-567-3002
- Iroquois Falls (Ontario). Le **Iroquois Falls Pioneer Museum** abrite un centre d'interprétation sur la colonisation: 705-258-3730
- «Ici ont généreusement donné leur vie pour la Nouvelle-France 12 soldats tués par les Iroquois en mai 1660» peut-on lire sur le **monument de Carillon** (Québec) près de Long Sault.
- **Tower of History**. Au Sault de Sainte Marie (Michigan), on visite une tour de 21 étages construite en hommage aux missionnaires et aux explorateurs: 906-632-3658
- **Fort Necessity** (près de Uniontown, Pennsylvanie) est l'endroit où les Français ont fait capituler Washington en 1754. Le fort a été reconstitué et se visite: 724-329-5512
- **Musée de l'Amérique Française** à Québec: 418-692-2843
- **Detroit** a été fondé par Antoine de Lamothe, sieur de Cadillac, partant de Montréal en 1701 pour fonder «Les Étroits», qui deviendra Detroit. C'est justement dans cette ville que Louis Chevrolet, un Suisse né en 1878 et parti aussi de Montréal, fonde en 1911 la Chevrolet Motor Car Company, avec William Durant. Le symbole de

la Cadillac est le blason du sieur de Lamothe, lui-même plagiat de celui du Baron Sylvestre d'Esparbes de Lussan.

- Jusqu'en 1920, le français était la langue publique à **Frenchville**, en Pennsylvanie, ainsi dénommée parce que son territoire avait été cédé à un marchand parisien par un américain endetté.
- Le village de **Gallipolis** «city of the Gauls» a été fondé en 1790 par 500 bourgeois français fuyant la Révolution. Il reste quelques appellations et une fleur de lys sculptée.
- La **Louisiane** doit son nom à Louis XIV, au nom duquel Cavelier de la Salle a revendiqué ce territoire, perdu lors du Traité de Paris, récupéré en 1800, puis enfin revendu par Napoléon en 1803.
- Le **drapeau acadien** reprend les couleurs du drapeau français et y ajoute une étoile dorée (la couleur papale) pour rappeler la dévotion du peuple acadien à Marie. Il a été créé en 1884. Certains Acadiens ont contesté le choix du drapeau tricolore car leurs valeurs traditionnelles se rapprochaient plus du drapeau «fleurdelysé» de l'Ancien Régime que de la Révolution. Je soutiens cette revendication.

Associations francophones dans le monde

Conseil de la vie française en Amérique: www.cvfa.ca
Association canadienne française de l'Alberta: afca@acfa.ab.ca
Association des communautés franco-ontariennes: acfoprov@acfo.ca
Association des francophones du Nunavik:
communications@nunafranc.ca
Association franco-yukonnaise: afy@afy.yk.ca
Fédération des francophones de la Colombie-Britannique:
ffcb@ffcb.bc.ca
Fédération des francophones de Terre-Neuve et du Labrador:
info@fftnl.ca
Fédération des francophones des Territoires du Nord-Ouest:
fft@franco-nord.com

Société des Acadiens et Acadiennes du Nouveau-Brunswick :
saanb@nbnet.nb.ca
Société franco-manitobaine : sfm@sfm-mb.ca
Francophones de l'Île-du-Prince-Edouard : info@ssta.org

MAUDITE QUESTION

L'Union Française occupe à Montréal un bâtiment autrefois splendide, comme le sont, du reste, la plupart des représentations françaises à l'étranger. J'y avais été invité à présenter une petite conférence sur l'acclimatation des Européens au Québec lorsque le temps des questions fit se lever une main que je n'oublierai jamais. Elle appartenait à une Française au bord des larmes.

– Pourriez-vous me dire ce qu'il faut faire pour être acceptée au Québec ? me demanda-t-elle simplement. La société québécoise me rejette, me méprise parce que je suis Française. Dès que je parle, je sens qu'on me juge à mon accent, et on me classe immédiatement parmi les maudits Français. Je ne trouve pas de travail, je n'ai pas d'amis, pas de famille. Je n'en peux plus.

Une autre main s'agita :

– J'ai la solution, dit une jeune fille. Ne dites pas que vous êtes Française. Dites que vous êtes Bretonne, ou Normande. Ça passe beaucoup mieux.

Mais la pauvre était Parisienne et ne connaissait rien ni à la Bretagne, ni à la Normandie. Nous avions tous envie de la consoler, mais que lui dire ?

Un Québécois qui assistait au débat mais avait surtout profité des nombreux verres de bienvenue provenant directement de France, et qui me regardait depuis le début avec des yeux haineux car l'alcool le rendait mauvais, lança dans sa direction :

– R'tourne chez toi, stie, si t'es pas contente.

Elle s'effondra en larmes :

– Vous voyez, ça recommence ! Même ici !
– T'es chez nous icitte, t'as pas d'affaire à t'plaindre. On n'est pas v'nu t'charcher, tabarnak.

Mais si, justement, on était venu la chercher. Non pas seulement elle, mais des centaines, des milliers de Français à qui l'on avait expliqué à Paris les attaches du Québec à l'Hexagone, la saison des couleurs à Mont-Tremblant et les excursions à Tadoussac : mais pas la haine qu'un certain nombre de Québécois entretiennent à l'égard des Français.

Pourquoi les détestent-ils ? Et les détestent-ils, d'abord ? Du fait qu'ils les «maudissent» on ne peut pas conclure qu'ils les haïssent, car l'expression «maudit Français» recèle une part d'affection, sans doute minime, parfois invisible à la vérité, voire homéopathique, mais réelle. Avec le temps, il me semble que son sens s'adoucit : Maudits Français passe, un peu lentement, du sens de «sales Français» à celui de «sacrés Français» et je suis vraiment persuadé qu'au XXVe siècle les choses iront beaucoup mieux.

Il reste cependant à comprendre d'où vient ce différend entre deux peuples qui ont les mêmes grand-mères.

La plupart des Québécois apprennent à l'école ou à la télévision que le sentiment anti-français date du 10 février 1763, jour où la France remit à l'Angleterre l'île du Cap Breton et le Canada. Pour se souvenir de cet abandon, continuent-ils, le gouvernement du Québec a d'ailleurs créé la devise «Je me souviens» qui signifie donc, pour parler clair, «Je les emmerde», de sorte que le doigt d'honneur sert d'immatriculation aux Camry. Ainsi, il y aurait exactement 243 ans que les Québécois haïssent les Français. On notera au passage que cette explication en dit long sur l'espèce humaine car si un traumatisme subi il y a plus de deux siècles marque encore les esprits, comment un homme pourrait-il espérer guérir d'un manque d'affection maternelle en bas âge?

Heureusement, tout cela est faux et la réalité est encore pire: les Québécois ont détesté les Français avant même d'exister.

Dès 1645, au moment de la création de la «Communauté des habitants» qui gérait la Nouvelle-France, on distingue entre les gens établis réellement au pays - qui seuls peuvent faire commerce du castor - et les autres, les Français nouvellement débarqués. Dans presque tous les secteurs, cette distinction sépare les Français des Canadiens qui, faut-il le dire, ne sont pas davantage Canadiens dans leur sang que les Parisiens qui arrivent. «Tous les champs d'action du pouvoir paraissent avoir été touchés par ce fossé qui se creuse entre Français et Canadiens, écrit l'historien Jacques Mathieu. Dans le domaine économique, une requête des marchands canadiens à l'encontre des marchands forains fait appel à des arguments d'ordre historique.» Alors que le Canada n'avait pas encore d'histoire, celle-ci servait déjà à exploiter la géographie. La Nouvelle-France, comme toute colonie, a bâti une partie de son identité contre la métropole, la France.

On a longtemps enseigné au Québec que la France avait «abandonné» sa colonie à l'Angleterre, ce qui fit passer ses habitants du rang de colonisateurs à celui de colonisés.

D'une part, c'est évident, la France n'a pas «abandonné» la Nouvelle-France: elle l'a perdue au terme d'une bataille un peu courte, sans doute, mais dans un contexte difficile. D'autre part, les Canadiens n'ont nourri à l'occasion de cette défaite aucune sorte de rancune à l'égard de la France ni des Français. L'attachement à la mère-patrie semble être au contraire ressorti intact, sinon renforcé, de la «Conquête» anglaise.

Une certaine historiographie a ensuite laissé entendre que ladite Conquête aurait jeté les Canadiens français dans un véritable cauchemar que seule la Révolution tranquille put dissiper en 1960. En insistant sur les malheurs de la domination anglaise, cette caricature entretenait la culpabilité de la France ainsi responsable de l'oppression des Québécois pendant deux siècles. La vérité force à dire, pourtant, qu'ils n'ont pas été brimés comme ils le prétendent. Le régime anglais – inventeur, faut-il le rappeler, de la monarchie parlementaire – a apporté au Canada des libertés qu'il ne connaissait pas, y compris aux Canadiens français. La déportation des Acadiens n'est pas une image d'Épinal. Mais elle n'est pas représentative de l'histoire du Québec, qui n'a pas subi cette cruauté générale. Certains Québécois affirment même aujourd'hui que, sous le régime anglais, le Canada était l'un des pays les plus libres du monde...

Tout ceci pour dire que la cause du différend québéco-français ne remonte pas du tout, contrairement à ce que pense la majorité des Québécois, à la cession du Canada à l'Angleterre. Les mots de Voltaire qu'on cite toujours, «L'Angleterre fit une guerre de pirates à la France, pour quelques arpents de neige, en 1756», ont certes envenimé les relations transatlantiques. Mais Voltaire reprochait surtout au gouvernement royal d'avoir dépensé ailleurs l'argent qui manquait en France, comme les Américains reprochent à Bush de faire la guerre en Irak quand il faut reconstruire la Louisiane.

Peu après la défaite de l'armée de Montcalm, la Révolution française éclate. D'abord plutôt bien accueillie par les Canadiens français, elle suscite peu à peu des questionnements dans le clergé, puis dans la population, lors de l'exécution de Louis XVI et des massacres post-révolutionnaires[32]. Soumise à la Couronne anglaise, la population française du Canada a gardé un attachement atavique à la monarchie de France et ne peut accepter la violence qui lui est faite. Aussi, lorsque survient la guerre entre la France révolutionnaire et l'Angleterre, les pré-Québécois n'hésitent pas à choisir leur camp et se rangent pratiquement sans hésitation du côté des Anglais: la Nouvelle-France bascule définitivement hors de France.

32 GALARNEAU C., *La France devant l'opinion canadienne, 1760-1815*, Les Presses de l'Université Laval, 1970.

«Les liens avec l'ancien pays sont rompus depuis 1763», dit l'Evêque du Québec en 1793; l'obéissance qui était due au roi de France l'est maintenant à la monarchie britannique. Tout bon catholique doit donc éloigner les Français de la Province: à l'occasion de la victoire des Anglais à Aboukir, on célèbre même une action de grâces pour fêter «ce glorieux événement». «Certes il est très dur, dit Monseigneur Plessis, d'appeler ennemi un pays à qui l'on doit son origine.» Mais, selon lui, depuis la Révolution, le bon peuple français n'est plus: «Tout ce qui affaiblit la France, dit il, tend à l'éloigner de nous. Tout ce qui l'en éloigne assure nos vies, notre liberté, notre repos, nos propriétés, notre culte, notre bonheur.»

L'arrivée de prêtres français fuyant la Révolution renforce ce sentiment de défiance envers Paris. Leur nombre est restreint; mais ils grossissent d'un tiers les effectifs totaux du clergé canadien français, puisqu'en 1790, on ne comptait que 146 prêtres catholiques. Une dizaine d'années plus tard, ce clergé réactionnaire prend en main les destinées de l'éducation en jouissant d'un monopole de l'enseignement, dans un curieux mélange d'obscurantisme et de volonté d'avancement social. De plus en plus puissant, mais craignant que la mentalité de l'ancienne métropole ne contamine le pays, il répand un sentiment anti-français tout au long de son histoire. Après avoir honni la Révolution, il vomit l'Empire napoléonien en raison du sort qu'il fait subir à l'Église, et qui n'est, du reste, que «le fruit lamentable d'une révolution régicide». Le peuple le suit et ne manifeste à aucun moment, dit Claude Galarneau, une quelconque volonté d'embrasser la cause révolutionnaire ou napoléonienne malgré ce qu'affirment quelques historiens «en mal de filiation révolutionnaire». Seuls quelques intellectuels isolés épousent les idées de la nation française.

Au début du XX⁰ siècle, la République française crée l'école laïque, interdit l'enseignement aux congrégations religieuses (1904), et instaure définitivement la séparation de l'Église et de l'État (1905). L'article 2 de la loi scélérate déclare: «La République ne reconnaît, ne salarie, ne subventionne aucun culte ». Tabarnak, mille sabords, a-t-on dû entendre dans les sacristies québécoises : déjà isolé par ses dogmes, sa langue et la géographie, le clergé canadien français se voit tout à coup menacé dans ses bases et dans sa suprématie.

21 problèmes qui traumatisent les Québécois en France

1. Les gens se disent bonjour dans l'ascenseur même s'ils ne se connaissent pas ;
2. il faut payer les appels locaux ;
3. et l'eau froide ;
4. on doit dire monsieur l'Inspecteur à un inspecteur ;
5. on ne sait pas s'il faut dire madame ou mademoiselle ;
6. on chante *Happy Birthday to you* aux anniversaires ;
7. il faut inscrire son âge sur son CV ;
8. la Poste est une banque ;
9. les cabines téléphoniques n'acceptent pas les pièces ;
10. il n'y a pas de poste dans les pharmacies ;
11. on dit parking pour stationnement ;
12. les marchands de crème glacée prennent leurs vacances en juillet ;
13. la priorité à droite ;
14. les toilettes à la turque ;
15. la redevance télé : on paie même quand on n'a pas le câble ;
16. on ne sait jamais s'il faut ou non laisser un pourboire ;
17. les heures d'ouverture des commerces sont incompréhensibles ;
18. les Français ne ramassent pas les crottes de leurs chiens ;
19. et les chiens peuvent entrer dans les restaurants ;
20. on doit payer pour emprunter une autoroute ;
21. personne ne respecte les règlements.

C'est pourquoi, quand éclate la Première Guerre mondiale, certains extrémistes y voient le juste châtiment d'un pays gouverné par les «francs-maçons», la «secte infâme». Au début du conflit, des journaux catholiques comme *La Croix* (Montréal) et *La Vérité* (Québec) commentent sur un ton équivoque les massacres dans la population française. On déplore les victimes, certainement; on encourage même les lecteurs à envoyer de l'aide matérielle en France. Mais quand on évoque les morts d'enfants, certains écrivent: «Vont-ils regretter leurs chers disparus? C'est douteux. Des enfants, chez eux, il y en a généralement trop! En France, les familles nombreuses sont honnies, montrées du doigt et trouvent difficilement à se loger. Les enfants qui ne sont pas tués dans leur corps sont tués dans leurs âmes. Par des lois iniques et impies, on les empêche de gagner le ciel en leur ôtant le moyen de connaître Dieu et de pratiquer la vertu qu'Il récompense» (*La Croix*, 13 mars 1915). «Entre la France et nous, écrit un lecteur en 1914, il y a toute la question religieuse.» Elle était plus large que l'Atlantique.

ARRÊT STOP

10 trucs traumatisants qui vous attendent au Québec

1. Les machines à laver ne chauffent pas l'eau du lavage ;
2. il n'y a pas de rond-point ;
3. il n'y a pas de volet aux fenêtres ;
4. les chiens ne sont pas admis dans les restaurants ;
5. la fédération des naturistes organise des activités en hiver (514-252-3014) ;
6. il n'y a que deux semaines de base de congés payés ;
7. les fils électriques traversent les rues ;
8. le pain POM reste frais pendant trois semaines ;
9. le lait n'a aucun goût ;
10. on ne trouve pas de crème fraîche dans les épiceries.

Tout puissant au Canada français, comment le clergé catholique aurait-il pu accueillir favorablement la laïcisation de la société française, alors qu'il s'était séparé de la France depuis la Révolution? L'Église se mit donc à freiner des deux pieds l'arrivée de la pensée laïque au Québec et des *Francissons*, élégante contraction de Français, saucisson et franc-maçon. À la fois, on le sait, en mettant à l'index le plus possible d'ouvrages (en 1960 encore, Bob Morane était interdit) susceptibles de répandre la poudre des idées nouvelles. Puis en dénonçant tant qu'elle le pouvait, et en premier lieu dans les écoles auprès d'enfants crédules, ce qui venait de France: «Un certain nombre de prêtres de notre bas clergé (qui compte d'honorables exceptions, empressons-nous de le proclamer) couvrent la France tout entière de l'aversion qu'ils ont vouée à ses récents ministères», constate-t-on en 1916.

Ainsi, c'est la question religieuse qui a mis le feu aux poudres déposées dès la colonisation par les Français eux-mêmes et ce sont des Français qui ont, en 1645 comme en 1790, alimenté l'incendie.

Deux cents ans plus tard, les braises brûlent toujours qu'un rien rallume, et les Québécois y font feu de tout bois: la vague d'immigrants arrogants dans les années soixante, anciens colonisateurs venus voir quelle mission civilisatrice ils pourraient accomplir sur ces terres glacées; les votes «ethniques» qui auraient fait basculer le référendum, et enfin la question culturelle.

Tocqueville remarquait déjà, à propos du Québec, qu'il ressemblait davantage à l'ancienne France, celle de l'Ancien Régime, qu'à la France actuelle. J'ai dit plus haut, en ce qui concerne la langue québécoise, qu'elle n'avait pas subi la préciosité de la Cour de Versailles et ses conséquences. Il en est ainsi pour tout le reste, ou presque. Le Canada n'a pas connu la toute puissance de la noblesse, le phénomène de courtisanerie ni ce polissage national qu'a subi le peuple français. Il ne se passionne pas pour des idées, comme le fait la France depuis le Siècle des Lumières; il ne croit pas nécessaire de réformer constamment son prochain, ni de lui enseigner la bonne façon de penser parce que le Canada n'est pas une société construite sur la différence de classes sociales.

Le Français, quel qu'il soit, veux toujours apprendre quelque chose à quelqu'un, a dit justement un Québécois[33], parce qu'on a

33 RIOUX M., *Les Québécois*, Éditions du Seuil, 1974.

fait de même avec lui depuis qu'il est né. Une immigrante françai-se raconte que, quand un enfant québécois tombe en escaladant un obstacle dans un jardin public, sa mère lui dit: «recommence, t'es capable» tandis qu'une mère française aura tendance à réagir par un «je te l'avais bien dit.»[34] À l'âge adulte, n'est-il pas normal que cet enfant sans cesse confronté à son ignorance, se transfor-me en professeur de tout, ce qui présuppose qu'il connaît tout? N'est-ce pas d'ailleurs ce qu'on lui demande quand il doit disser-ter à la fin du secondaire, à 17 ans, sur la question, par ailleurs très intéressante, *Prendre conscience de soi est-ce devenir étranger à soi?*

Au Québec au contraire, encore récemment, «toute personne instruite était soupçonnée de manquer de virilité[35]», et Richard Desjardins a du apprendre le piano en cachette pour ne pas subir la raillerie de ses petits camarades. Le Français surestime le rôle de la raison, le Québécois voue un culte à l'émotion, le premier recherche en tout le raffinement, le second vibre à «l'authenti-cité»: en réalité, il n'y a peut-être pas deux cultures plus dissem-blables.

Sachant tout, dit Chateaubriand, «les Français (...) vains, railleurs, ambitieux, à la fois routiniers et novateurs, méprisant tout ce qui n'est pas eux; individuellement les plus aimables des hommes, en corps les plus désagréables de tous; charmants dans leur propre pays, insupportables chez l'étranger[36]» offrent ainsi sans cesse de nouveaux prétextes à passer pour des *damned frenchies* dans un Québec qui n'attend que ça, sur un terrain historique bien préparé – par les Français.

Pourquoi ne crève-t-on pas cet abcès beaucoup plus doulou-reux qu'on ne croit? Les Québécois restent persuadés que les Français, dont beaucoup se sentent rejetés par la Belle Province, les méprisent. Ne s'agit-il pas d'un conflit d'un autre âge? Des mil-

34 LION V., *Irréductibles Québécois*, Éditions des Syrtes, 2004.
35 Entrevue avec Richard Desjardins in *Kamasuta*, DVD 2005.
36 CHATEAUBRIAND F.-R., *Le Génie du Christianisme*.

liers d'immigrants en souffrent, et pourtant personne n'en parle : ni les Français, craignant souvent de perdre leur emploi en s'exprimant publiquement, ni les Québecois qui minimisent le problème. Un Belge, peut-être, une fois ?

LE COÛT DE LA VIE

Il est vraiment difficile de savoir si la vie est moins chère ou plus chère qu'ailleurs, quand on n'est pas économiste. Je m'étais acheté un petit carnet rouge et un Bic également rouge au Dollarama, ce qui annonce chez moi des travaux importants, et je les avais rangés dans le sac que je prendrais en cabine, comme disent les hôtesses de l'air. J'avais écrit sur la couverture «Coût de la vie au Québec», et décidé de noter tous les prix en Europe, pour les comparer à ceux de Montréal.

Dès la gare du Nord, j'inscrivis consciencieusement le prix d'un café (service compris évidemment, il ne faudrait pas me prendre pour un demeuré):

Paris, un café: 2,20€
Un sandwich jambon-beurre: 3,40€

Je me dis soudainement qu'il n'existait pas de sandwich jambon-beurre à Montréal, mais seulement des sous-marins extrêmement complexes, avec des frites; je cherchai sur la carte ce que je pouvais trouver de comparable. Je passai la salade niçoise, la saucisse de Strasbourg-frites (5,70€), la «grande assiette fraîcheur», la faisselle à la crème, toutes intraduisibles. Pourquoi ces Français font-ils toujours des plats si compliqués? Je glissai aux viennoiseries et m'arrêtai sur le pain au chocolat:

Paris, pain au chocolat: 1,40€

À gauche, en haut, il y avait les croque-monsieur (on n'en trouve quasiment jamais ici), les croque-madame, une quiche lorraine et une quiche au saumon. Je pensai un instant les noter pour les comparer à la tourtière. Un bataillon de Québécois m'aurait reproché cette comparaison et cela m'angoissa. Au-dessus, heureusement, je trouvai tout ce que j'attendai :

Paris, maxi-hamburger : 9,20 €

En retournant la carte, j'aperçus le prix des petits déjeuners :

Paris, « Petit déjeuner tradition » (grande boisson chaude, un croissant + une grande tartine, beurre, confiture) : 6,90 €

J'avais mes renseignements.

Dans le train vers Bruxelles (71,50 €), je pris ma calculette (Dollarama, 1,15 $ avec les taxes) et récapitulai le tout en dollars canadiens, soit 1,42 $ pour 1 €, soit encore :

Si Paris était à Montréal
1 café .... 3,12 $
1 pain au chocolat .... 1,90 $
1 maxi hamburger .... 13 $
1 petit déjeuner tradition .... 9,85 $
1 voyage Paris-Bruxelles .... 100,82 $

Je fis évidemment la même chose à Bruxelles et notai :

Si Bruxelles était à Montréal
1 café .... 4,54 $
1 club Sandwich .... 17,04 $
1 petit-déjeuner .... 12,07 $

La vie avait augmenté entre Paris et Bruxelles, parce que j'avais choisi, dans cette ville, le Métropole, Place de Broukere, un café splendide que je recommande. Il y en a de moins chers, c'est sûr. Mais d'abord je n'avais pas le temps d'essayer tous les restaurants de Belgique et de France; et ensuite je me dis que, puisqu'à Montréal, je vais dans le premier endroit qui me chante, je pouvais faire la même chose en Europe sans détruire la crédibilité de mes statistiques internationales.

Jour après jour, mon carnet rouge du Dollarama se remplissait d'une preuve évidente en faveur de Montréal. À la fin du mois, j'étais devenu un maniaque des prix, et je me revois, à Paris encore, près de la gare du Nord toujours, recopiant l'ardoise d'un bistrot, plus par amour de la cuisine et par mes habitudes de comptable, que pour mon étude, et afin de m'en souvenir à Montréal, comme faisait Boris Vian pour Syracuse à Paris :

Pavé moutarde à l'ancienne	11,50 €
Escalope normande	11 €
Tartare maison	11 €
Onglet à l'échalote	11 €
Rosbif froid mayonnaise	10,50 €
Raie aux câpres	10,50 €
Fricassée de poulet	9 €

Sept plats du jour le même jour, ne pouvant aucunement servir à mon étude. Pourquoi avais-je noté tout cela? À cause de la raie. Mon Dieu, que la raie m'attirait! Je me la voyais manger sur une de ces terrasses, dans le vacarme souverain du quartier, apportée par des serveurs aux longs tabliers blancs, toujours un peu pressés, un peu prétentieux, mais parfaitement professionnels. Dans la Ville-Lumière, en terrasse, on déjeune dans un mélange magnifique de gaz d'échappement et d'eaux de toilettes vaporisées dans le sillon des passants, et je me voyais boire, dans cette odeur, un verre de Sancerre en me disant que Paris se trouve exactement à la même latitude que Chibougamau. Que le monde est beau dans sa diversité! Fixé sur cette raie, je m'imaginais qu'il était six heures de moins là-bas, que le soleil entamait sa projection de lumière sur le lac Chibougamau, ce qui me fit immédiatement penser à ces dorés que l'on cuit sur le feu dans le silence complet.

– Est-ce que Monsieur prendra un autre café?

Le serveur se demandait, comme moi, où j'étais. Je repliai mon carnet et pris le RER pour Orly où sont les Orlyval. Car j'avais fini mon étude, et je m'assis dans l'avion en concluant, avant de m'endormir : la vie est beaucoup moins chère à Montréal.

– Ce n'est pas comme ça qu'on fait des études économiques, Hubert, me dit Dominique qui m'accueillit à Dorval et auquel j'avais prêté mon appartement. Les choses ne sont pas aussi simples. Pour étudier les prix, on doit comparer le panier de la ménagère et non pas des denrées éparses (les économistes parlent toujours de denrées). Tu n'as pas pris en compte le prix du lait, du loyer, du pain, etc. Il ne suffit pas de se balader dans des grands restaurants pour dresser des portraits économiques de l'Occident.
– Je voulais simplement me faire une idée personnelle, dis-je. Et je constate qu'il est moins cher d'acheter un café à Montréal qu'à Paris. Je ne suis pas une ménagère et je ne fais pas une étude pour l'UNESCO.
– Aujourd'hui, on ne calcule plus comme ça. Tes études oublient une chose : le pouvoir d'achat. Tu ne peux pas comparer le coût de tes dépenses en oubliant le montant de tes revenus. Il faut calculer, par exemple, en temps nécessaire pour s'acheter un MacDo, c'est à dire en temps de travail. À Paris, il faut une moyenne de 19 minutes pour s'acheter un Big Mac. En 2004, il en fallait 181 à Nairobi et 9 à Chicago selon l'Union des Banques Suisses.
– Et à Montréal, dis-je en bâillant?

- On n'a pas les chiffres.
- Bon, donc on ne sait rien. Tu as plein de chiffres, tu es économiste pour l'UNESCO mais tu ne peux pas me dire si la vie est moins chère ici, c'est quand même grave.
- Mais qu'est-ce que tu crois? Il faut des ordinateurs superpuissants pour calculer l'ensemble des données. Tu prends…
- Bon OK. C'est compliqué. Mais le prix de l'essence? Ce n'est quand même pas difficile de constater que le prix de l'essence est moins élevé ici qu'à Paris.
- Oui, mais les distances sont plus longues et les voitures consomment plus.
- Admettons. La viande est moins chère au Québec.
- Oui, mais le fromage?
- Quoi le fromage?
- Le fromage est beaucoup plus cher qu'à Paris.
- Qu'est-ce que le fromage a à voir avec la viande? Je te dis que la viande est moins chère et tu me parles du fromage. Les gens ne mangent pas de la viande et du fromage. Ils font l'un ou l'autre.
- Je te dis qu'il faut prendre en compte le panier de la ménagère.
- Exactement. Une ménagère de Montréal n'achète pas du fromage et de la viande.
- Pourquoi?
- Mais je viens de te le dire, elle achète du fromage ou de la viande justement parce que les deux à la fois seraient trop chers! Ce n'est quand même pas difficile à comprendre à la fin. Tu compliques tout avec ton panier et tes denrées de ménagère. D'ailleurs je voudrais bien savoir quel panier et quelle ménagère. Il n'y a plus de ménagère ici. Tu en as déjà vu une, toi? C'est un concept dépassé, ta ménagère.
- Hubert, ne t'énerve pas, je voulais simplement attirer ton attention sur la difficulté qu'il y a…
- Mais je ne m'énerve pas! Tu viens avec des concepts abstraits, des denrées, des ménagères qui n'existent plus et tout ça pour

m'expliquer que tu ne sais pas si Montréal est moins chère que Paris, alors que tu viens d'y vivre pendant 15 jours, et gratos dans mon appartement, en plus. C'est quand même incroyable!

J'étais tellement furieux de ses doutes que je ne parlai plus à Dominique de la soirée, et me couchai immédiatement. Le lendemain matin, il m'invita à prendre un brunch. En feignant de regarder la carte, je l'observais, avec sa petite calculatrice de l'UNESCO dans la tête, étudier les prix.

– Tu veux un jus d'orange? C'est du Tropicana.

J'avais remarqué qu'à Paris, il se vendait 3,50 € (4,97 $ si Montréal était à Paris).

– Il est à combien ici?
– C'est moi qui t'invite, puisque tu m'as passé ton appartement gratos, dit Dominique avec un grand sourire.
– Merci. Sérieusement, il est à combien?
– Il est à 3 $. Ajoute 15 % de taxes, ça fait 3,45. Avec le service, ça va chercher dans les 3,90. Tu veux de la viande ou du fromage?
– Les deux, mon Général. À Paris, il est à 4,97 $. Ça fait 1 $ de plus.
– Le disponible, Hubert. C'est le montant disponible qui compte. Ce qui reste après les impôts. Tu vas tromper tes lecteurs si tu tires de grandes conclusions sur base du Tropicana, sans blague. Essaie d'abord d'estimer le pouvoir d'achat ou le *net-in-the-pocket* si tu préfères.
– Je préférerais que tu fasses toi-même les recherches plutôt que de me répéter mes fautes. Va sur le Net, téléphone à l'UNESCO et invite-moi à souper si tu perds. Je paie si tu gagnes.

C'est ainsi que le soir je pris une raie aux câpres avec du Sancerre.

En effet, selon l'enquête Mercer menée en 2004, et basée sur une comparaison de 200 produits (panier de la ménagère, denrées alimentaires, logement, transport en commun, vêtements, produits ménagers, etc.), Montréal s'inscrit au 113e rang sur 144 au palmarès du coût de la vie. Londres figure en 2e place, Genève en 4e, Paris en 17e, Bruxelles en 53e. Par ailleurs, selon l'Union des Banques Suisses le pouvoir d'achat d'un salarié s'élève à 73,2 à Montréal contre 58,4 à Paris. Et en ce qui concerne les denrées alimentaires uniquement, Montréal est mieux classée que Paris et Londres, tandis que le prix des services figure parmi les moins élevés du monde occidental. Bingo!

Et l'addition pour lui, s'il vous plait.

UN AN DEVANT LE POSTE

.

La télévision québécoise a joué un rôle majeur dans l'histoire nationale, mais je n'ai pas l'intention de raconter les assommantes *Belles histoires des Pays d'En haut* ou *Quelle famille* qui me dépriment horriblement et qu'on peut d'ailleurs louer à la Boîte Noire (quand on est malade).

Ce n'est pas tant le contenu de ces séries qui m'afflige ; c'est qu'on les aime qui me déprime. Mon Dieu, que la vie devait être autrefois ennuyeuse pour qu'on se divertisse avec de tels films !

Heureusement aujourd'hui tout a changé, et tout le monde est en pleine forme sur les ondes. Le matin, des femmes dynamiques reçoivent des invités à la télévision ; à 11 heures un chef français explique une sauce hollandaise à une animatrice avant les informations, et à 14 heures on parle à la radio de sodomie (je schématise évidemment car on parle aussi de fellation, de difficultés érectiles et de règles tardives). Le « retour à la maison » commence vers 16 heures, parsemé d'informations sur Jean Coutu, Moore et Reno Dépôt tandis qu'à la télévision débutent les nouvelles. Les journalistes animent en duo, devant une tasse de café maison, la question du jour qui ne sera conclue que le soir : « Faut-il donner la fessée aux enfants ? », « Êtes-vous pour ou contre l'élection de Miss Univers ? » ou « Faites-vous confiance aux ordinateurs ? » On peut participer par téléphone et par courriel. Pendant ce temps, Miss Météo attend dehors qu'on lui passe l'antenne.

– Alors Josiane, que nous réserve la météo ?
– Des surprises André, je vous en parle en fin de journal.

On ne sait jamais rien au début mais on connaît toujours la fin :

s'il fait beau on pourra sortir, et s'il pleut, on en profitera pour faire du cocooning.

Chacun imprime sa marque au journal qu'il présente mais elle varie plus dans le degré que dans la nature. Le journaliste n'a plus, sur les chaînes privées, la prétention de la neutralité, bien au contraire. Il a son avis sur tout, fait des clins d'œil, parle de son chat et insulte les invités. Il est prié de rabattre le caquet aux politiciens, de leur faire dire «les vraies affaires» et de paraître authentique. Du statut de journaliste, il est passé à celui d'animateur, puis de médiateur entre le public et le reste du monde, et enfin de provocateur.

Pendant que les séries et les films envahissent l'écran, le romantisme s'empare de la radio: à 20 heures, le Québec devient mou. On diffuse des chansons d'amour jusque tard dans la nuit, parsemées de dédicaces interprétées par une voix douce et chaude comme une écharpe. Que j'aime entendre des violons dans une voiture automatique! Il m'a toujours semblé que ces émissions nocturnes ont été inventées pour la suspension féline des Oldsmobile, des Pontiac, des Cadillac. Les «Je t'aimerai toujours mon loup d'amour» suivis de «Mon Ange» me ravissent; j'aimerais tant voir cet animateur, confortable dans sa pénombre et assis derrière son micro, récitant sérieusement sur un fond musical italien: «Mes seins sont des obus que je t'envoie dans la nuit, signé Claudette», «ma fusée se répand sur ta lune, je t'aime, Jean-Pierre». C'est un merveilleux moment, pour moi, que de passer sur le pont Jacques Cartier, les soirs d'été, fenêtres ouvertes et détendu, à écouter des bons vieux slows sucrés ou des poèmes un peu stupides.

Pendant ce temps, on commence le débat du journal du soir. Quarante neuf pour cent se prononcent contre l'élection de Miss Univers. L'animateur, toujours assis devant ses feuilles qui ne servent à rien et une tasse de café pour faire croire qu'il a potassé, interroge ses invités. Deux féministes affirment que c'est avilissant pour la femme, et le chroniqueur qui fait office de penseur de service leur demande pourquoi elles acceptent les Chippendales. Le débat est suivi d'un film érotique français, comme tous les soirs, et d'une info-pub sur l'autre chaîne.

Quand arrive novembre, tout change. Les chanteurs ont des albums de Noël à promouvoir. L'un a enregistré *Petit Papa Noël* avec le grand orchestre des Cosaques, une autre a repris des chansons d'antan avec une chorale d'enfants défavorisés, et tout le monde trouve ça extra-or-di-naire. Adieu Miss Univers, la question débattue est: «Les tarifs d'Hydro-Québec sont-ils trop chers pour les démunis?» Cette fois-ci les féministes et le chroniqueur de service (et le journaliste et les appelants) sont d'accord: la réponse est oui à 87%. La SAQ rappelle que la modération a bien meilleur goût, une ancienne animatrice présente ses «Cent recettes authentiques pour le temps des fêtes» et les écrans publicitaires nous inondent de Fisher-Price: c'est nowel!

Vers le 15 janvier, on cesse de nous passer de vieux cantiques interprétés par des chanteuses en plein orgasme, et l'on retourne à la programmation normale. On revoit les mêmes invités perpétuels qui viennent nous expliquer la soupe aux oignons de leur grand-mère et le régime d'après les fêtes. Les animateurs-provocateurs réveillent les «payeurs de taxes» encore en pleine digestion, avec l'un ou l'autre scandale (le Premier ministre a dépensé 55 dollars pour une nouvelle cravate avec l'argent de nos impôts) et la question du jour devient: «Pensez-vous que le réchauffement climatique affecte notre économie?» Non, répondent à 67% les spectateurs, car il fait moins 35°. Le chroniqueur invité déclare que «ça a pas d'bon sens» et se prononce officiellement contre le trou dans la couche d'ozone. Demain, il fera moins 40° avec le facteur vent, ce sera dur pour les facteurs, mais on en profitera pour faire du cocooning.

La programmation d'été commence au printemps: tout le monde dehors. Le cuisinier français présente l'art de faire griller des saucisses allemandes en plein air, les émissions de variétés sont diffusées en direct d'un parc d'attraction «beau temps mauvais temps» et il y a un «Spécial Cuba» en direct de la piscine olympique. Tout le monde aime Marineland. Cette année, comme l'année dernière, et aussi comme l'année précédente, et au fond comme il y a trois ans, on nous fait découvrir les plus beaux coins du Québec à droite, les meilleurs spas à gauche, commandités par les petites marques qu'on voit en bas, sur le générique. Sur la chaîne Évasion, on observe la tête neurasthénique du type du collège April Fortier, nous dire que les voyages c'est formidable mais qu'il faut être dynamique pour réussir.

Enfin c'est la rentrée de la télé-réalité et des nouvelles séries. Au journal du soir, le chroniqueur qui s'était courageusement élevé contre le trou dans la couche d'ozone déclare carrément qu'il est contre la violence faite aux enfants, car la rentrée consacre un dossier spécial à la pédophilie à l'école. À cette occasion, une ancienne chanteuse, qui finalement est toujours chanteuse, annonce un disque de Noël enregistré avec les petits chanteurs homosexuels, 98 % des téléspectateurs estiment qu'ils ne payent pas assez d'impôts, une animatrice démontre que les hommes québécois souffrent d'inégalité salariale, le type d'April Fortier explique que les castors ont la queue plate parce que les canards les sucent à Marineland, Janette Bertrand…

– Hubert!

Je m'étais assoupi.

– Voilà un an que tu es devant la télévision! Qu'est-ce que tu fais?

Un an déjà? Le temps a passé si vite. Mais mon petit carnet bleu est resté vierge. En 365 jours de télévision et entouré de toutes les radios, je n'ai pas trouvé, ni entendu, ni entendu parler qu'on avait vu ou entendu un seul animateur, un seul présentateur, un seul journaliste européen sur les ondes québécoises. À part le cuisinier français, les minorités audibles que l'on vient chercher en France, en Belgique ou en Suisse, n'ont pas le droit de nous parler ailleurs qu'à Radio-Canada. La société est ouverte. Mais les oreilles sont bouchées. Au fond, si j'écrivais un livre pour les Européens au Québec? Histoire qu'ils se sentent moins seuls?

Programme d'immersion (32 heures): Liste des films à louer et émissions à regarder pour comprendre le Québec

1. SECTION 1 - CULTURE POPULAIRE, LINGUISTIQUE
   STRUCTURE DES MENTALITÉS DANS LE POST MODERNISME
   1.1. *Elvis Gratton*, Pierre Falardeau, 1981
   1.2. *Elvis Gratton II*, Pierre Falardeau, 1999
   1.3. *Elvis Gratton III*, Pierre Falardeau, 2004
   1.4 *Les Bougon* (série télévisée)
   1.5 *Les Boys**, Louis Saïa, 1997
   1.6 *110 %* (émission télévisuelle)**
   1.7 *La moitié gauche du frigo*, Philippe Falardeau, 2000

2. SECTION 2 - MATRIARCAT ET CHIALAGE:
   INTRODUCTION À UNE ÉPISTÉMOLOGIE DE LA QUÉBÉCITUDE
   2.1 *Un gars, une fille* (version Québec)
   2.2 *Annie et ses hommes* (télésérie)
   2.3 *La petite Aurore, l'enfant martyre*, Jean-Yves Bigras, 1952
   2.4 *Aurore*, Luc Dionne, 2005
   2.5 *Le Déclin de l'Empire américain*, Denys Arcand, 1986
   2.6 *Les Invasions Barbares*, Denys Arcand, 2003
   2.7 *Québec-Montréal*, Ricardo Trogi, 2002
   2.8 *Nuit de noces*, Émile Gaudreault, 2001

* L'étudiant n'est pas tenu de regarder le film jusqu'à la fin et est dispensé des *Boys* II. Il notera néanmoins sur sa copie le nombre de minutes qu'il a supportées.

**Comparer avec A*postrophes*.

L'INDIEN QUI S'APPELAIT JEAN-CLAUDE

J'aurais bien aimé qu'il s'appelle Orignal Debout: mais son nom n'avait rien d'original. Il s'appelait Jean-Claude. J'aurais préféré qu'il habite un tepee et chevauche un poney, qu'il me parle du Manitou et du secret de l'esprit des pierres. Mais il vivait à Québec, ne connaissait que le français et portait un t-shirt des Canadiens. Cet imbécile ne disait même pas Ugh pour dire bonjour. Il ne connaissait strictement rien à la nature, tuait les moustiques avec sa sandale jaune sans s'excuser auprès du Grand Esprit, bref ce crétin m'avait dit qu'il était Huron et je l'avais cru parce que j'avais envie de le croire. Mais il était simplement un homme comme les autres.

Cela fait des siècles que ça dure. Alors que les Noirs ont été réduits à l'état de bêtes par nos ancêtres, de tous temps notre imaginaire européen a ennobli les Indiens. Ceux-ci sont «des Spartiates, en comparaison de nos rustres qui végètent dans nos villages et des sybarites qui s'énervent dans nos villes» affirme Voltaire[37]. Au XVIIIᵉ siècle, non seulement les salons parisiens, mais toute la France s'est emparée du mythe du bon sauvage, en vue, comme on sait, de prouver que la bonté est naturelle à l'être humain s'il n'est pas corrompu par la civilisation[38].

Avec ce mythe dans la tête, quand Chateaubriand part en Amérique à la recherche de ces sauvages littéraires[39], il ne les trouve évidemment pas. Bien au contraire, à peine arrivé en plein bois, il aperçoit un hangar rempli d'Indiens, et au milieu de ceux-ci, un Français, Monsieur Violet.

37 VOLTAIRE, *Essai sur les mœurs et l'esprit des nations.*
38 DUMONT F., *Génèse de la société québécoise*, Boréal, 1993, p.40.
39 CHATEAUBRIAND F.-R., *Voyage en Amérique.*

Monsieur Violet est occupé à apprendre des danses européennes à des Iroquois. Frisé et poudré, ce professeur échange ses leçons de quadrilles et de révérences contre des peaux de castors et des jambons d'ours. Stupeur et tremblement: Chateaubriand est effondré. Près de 200 ans plus tard, je le fus autant, quand on m'apprit l'année dernière que dans le Nord, des Indiens vendaient des cuisses d'orignal contre de la cocaïne.

Voilà plus de trois siècles que nous nous trompons et caricaturons les Indiens[40]. Non pas en forçant les traits qui nous dérangent, mais en grossissant ceux qui nous plaisent, même et surtout quand ils nous renvoient une image négative de l'homme blanc.

Ainsi outre-Atlantique, sommes-nous tous persuadés que les Blancs ont envahi le Canada contre la volonté massive des autochtones: faux, dit l'un des plus grands spécialistes de la question. «Si les Européens ont réussi à mettre le pied au Canada, c'est seulement parce qu'un nombre important d'autochtones souhaitaient les voir s'installer sur le continent[41].» En assurant aux Français qu'ils y trouveraient de l'or, c'est même un de leurs chefs, Donnaconna, qui les a convaincus de poursuivre leurs grandes expéditions.

Ceci fait déjà mal à accepter, mais passons outre. Venons-en aux babioles. Nous sommes tout de même d'accord que les Indiens, innocents et dégagés des valeurs matérielles, ont échangé leurs terres et leurs peaux contre des perles de verre, offertes par de gras Européens se tapant la bedaine, tout heureux de cette escroquerie, comme lorsqu'on offre un cadeau en provenance du Dollarama? Faux encore. Les perles de verre étaient de peu de

40 VINCENT S., «Les manuels d'histoire sont-ils porteurs de stéréotypes sur les Amérindiens ou que sont devenus le bon Huron et le méchant Iroquois?», Bulletin de la Société des Professeurs d'Histoire du Québec, 14 (2), p. 26. PRICE J.A., «The stereotyping of North America Indians in Motion Pictures» Ethnohistory, 20, p. 153.
41 TRIGGER B. , Les Indiens, la fourrure et les Blancs, Boréal, p. 410.

valeur pour les Européens. Mais elles étaient rares pour les Indiens qui nous les échangeaient contre des fourrures elles-mêmes banales à leurs yeux. Et ces babioles renforçaient réellement le prestige des autochtones au sein de leur tribu.

Cette croyance erronée repose du reste sur une autre, aussi fausse, selon laquelle les Indiens auraient été des sages dégagés du commerce et du sens de la propriété : mensonge! Les Indiens commerçaient entre eux depuis des siècles et n'ont pas attendu les Blancs pour apprendre les règles du business. Non pas celles d'un de ces petits commerces tels que «Passe-moi ton silex je te prête ma chèvre», ni même «File-moi ta gourde ou je t'envoie mon tomahawk» mais celles d'affaires de biens et services complexes, renforcées par l'arrivée européenne[42]. Et pour le sens de la propriété, on s'aperçoit aujourd'hui qu'ils ne limitaient leurs biens que parce que, se déplaçant sans cesse, ils devaient les transporter.

Bon... Pourrait-on dire au moins que les Français (quand on parle négativement des Québécois du passé, on les appelle des Français) ont asservi les Indiens en échange de fusils ou de marmites et, les mettant sous pression, les ont poussés dans une totale et scandaleuse dépendance? Même pas, hélas! «Il faut reconnaître que les Indiens ont été des participants actifs à la traite, et non des victimes sans défense[43].» Dans les débuts de la colonie et dans le Nord, beaucoup plus tard encore, les Européens dépendaient au moins autant des Indiens, que ceux-ci de ces derniers. «Les chasseurs exécutaient un certain nombre de tâches nécessaires à la traite. Ils transportaient le courrier entre les postes isolés, ils étaient guides et enseignaient comment se débrouiller, ils fabriquaient des objets indispensables comme les raquettes et les canots, ils travaillaient comme manœuvres aux postes, ils pou-

42 TRIGGER B. G., *op. cit.*, p. 263.
43 FRANCIS D., MORANTZ T., *La Traite des Fourrures dans l'Est de la Baie James, 1600-1870*, Presse de l'Université du Québec, 1984, pp. 228 et suiv.

vaient parfois contribuer à la défense en cas d'attaque[44]». Ils constituaient de précieux associés, sauvant bien souvent les Blancs de la famine et non de pauvres larbins martyrisés par de mauvais colons[45].

Dois-je continuer le massacre de nos idées ? Pocahontas, notre chère Pocahontas, n'a jamais été une princesse indienne parce qu'il n'y a jamais eu de roi chez les Indiens. Mais voici la destruction de la plus chère de toutes nos illusions : on n'est plus du tout sûr que les Indiens aient été des protecteurs de la nature. C'est affreux…

Un historien moderne estime qu'ils ont largement contribué à la déforestation par l'usage abusif du feu, et à la destruction d'un nombre important d'espèces[46]. Il est incontesté, par exemple, que les Hurons ont exterminé le castor dans leurs territoires et que les Cris pratiquent aujourd'hui les coupes à blanc qu'ils dénoncent – chez les Blancs. Cette illusion, quand elle tombe, n'est-elle pas la plus douloureuse ? Certes, autrefois, les enfants amérindiens de 10 ans pouvaient reconnaître la piste des bisons ou l'allure d'un caribou. Mais d'une part à Paris, un enfant du même âge peut également distinguer un passage clouté d'une piste cyclable, il n'y a pas là de quoi s'extasier ; d'autre part, les enfants indiens d'aujourd'hui n'ont pas plus de connaissances sur la nature que n'importe quel promeneur.

Sans doute, les Indiens du Québec ne cessent de se positionner, dans leurs publications et sur leurs sites, comme les derniers défenseurs de la nature. Mais il s'agit, en grande partie, de politique, parce qu'en s'associant à des valeurs respectées par le monde entier, ils s'allient les écologistes, parfois naïfs, de tous

44 FRANCIS D., MORANTZ T., *ibid.*

45 HAVARD G., *Empire et métissages, Indiens et Français dans le Pays d'en Haut, 1660-1715*, Septentrion, Presses de l'Université de Paris-Sorbonne, 2003, p. 525.

46 KRECH S., *The Ecological Indian : Myth and History*, W.W. Norton & Co, 1999. PONTING C., *Le viol de la Terre*, Nil Éditions, 2000.

bords. Il existe encore de très nombreux trappeurs autochtones vivant de la chasse, des subventions et de la pêche. Mais tous les autres chassent avec des armes aussi sophistiquées que les visages pâles new-yorkais quand ils viennent à la Baie-James, et le reste connaît la nature comme Sharon Stone. Michel Pageau me disait qu'un de ses visiteurs amérindiens était incapable de reconnaître un orignal à ses traces dans la neige de son Refuge, et un chasseur du Nord me racontait tout à l'heure que lorsqu'il rencontre un Indien dans le bois, il le prend en photo, tant cela l'étonne.

À ce stéréotype de l'Indien proche de la nature se greffe celui, voisin, de dépositaire de la sagesse universelle. «Il suffit de réunir une demi-douzaine d'autochtones dans une pièce pour obtenir aussitôt une prophétie ou une vision» ironise un Indien cayuga, Gary Farmer. Ce cliché sert à enfermer des touristes allemands dans une tente surchauffée ou à donner des séminaires de spiritualité sexuelle à des obsédés. Mais il n'y a pas plus de sages chez les Indiens que de Descartes à l'Union française.

En synthèse dramatique, les Amérindiens ont donc aidé les Européens à coloniser le Canada français; loin d'en être victimes, à l'exception notable des Indiens des Plaines, ils en ont au contraire tiré de grands avantages économiques, notamment en exterminant le castor. Les colonisateurs français les ont traités avec le respect dû à de précieux pourvoyeurs et leurs shaman n'ont pas réussi à vaincre les épidémies de variole ni de grippe.

Pourrait-on au moins, en lisant tout ceci, affirmer qu'en tous cas les Indiens sont victimes des stéréotypes que leur imposent les seuls Blancs, pour qu'ils restent au moins victimes de quelque chose? Ce n'est même pas sûr. En réclamant et en obtenant des millions de dollars pour maintenir leurs traditions ancestrales – ou du moins celles qui les arrangent, et en y ajoutant des Toyota – les responsables politiques des nations indiennes n'encouragent-ils pas la durabilité de nos clichés? Oui, le mode de vie amérindien disparaît d'Amérique du Nord. Mais c'est le lot de toutes les civilisations, et nous avons nous-mêmes disparu avec nos traditions ancestrales. Où sont les Gaulois? Que reste-il des Celtes? Quelques dolmens auxquels personne ne comprend rien, et de rares traces dans le vocabulaire. Nos ancêtres ont abdiqué leur mode de vie pour se fondre dans celui des conquérants, et nous n'existons que parce que nous nous sommes adaptés. Comment prétendre que l'ancestral mode de vie indien soit adapté au monde actuel? L'âge de la pierre, auquel vivaient les Amérindiens lors de notre arrivée, séduit-il quelqu'un dans la salle? Croit-on que les enfants cris souhaitent, comme leurs parents, se lever à quatre heures du matin pour relever les pièges, manger de la banique et se couvrir de peaux? Ils préfèrent, comme tous les enfants du monde, regarder la télévision bien au chaud en mangeant du Nutella. Les adultes réclament, au nom de critères raciaux qui semblent à certains inacceptables dans une démocratie moderne, des territoires et un gouvernement autonome à l'Etat québécois, lequel exige la même chose pour ses sujets à l'État canadien[47]. On voit ainsi certains politiciens courtiser des chefs indiens pour appuyer le vote séparatiste en vue du référendum , car tout le monde veut se séparer de tout le monde au nom de la différence.

Mais ce que m'a appris Jean-Claude, avec son t-shirt des Canadiens, vaut bien des leçons de chamanisme: les Indiens sont simplement des gens comme nous. Leur culture est différente, certes. Mais la culture de tout le monde est différente de celle des autres, car nous n'avons pas eu les mêmes parents, les mêmes écoles ni les mêmes croyances. «Les gens, disait Paul Valéry, diffèrent par ce qu'ils montrent, et se ressemblent par ce qu'ils cachent.» À trop s'appesantir sur les différences, on commence par craindre les autres races, puis les autres pays, les autres villes et les autres quartiers. Je me souviens d'une rue de Liège où les gens qui habitaient en haut méprisaient ceux qui vivaient en bas: la différence en tant qu'obsession aboutit toujours à la solitude.

47 FLANAGAN T., *Premières Nations ? Seconds Regards*, Septentrion, 2000.

Pourquoi, au fond, ne pas parquer les enfants ayant eu des parents difficiles dans des quartiers spéciaux encadrés de psychologues, les roux dans des immeubles de rousses patrouillés par des policiers roux, les Français dans des vignobles en plastique et les vrais Québécois derrière des fortifications et des agents de sécurité? La vie ne serait-elle pas plus tranquille pour tout le monde? Bien sûr que si. Les enfants roux ne subiraient pas les moqueries des enfants bruns, les Français ne seraient pas attaqués pour leur accent et les Québécois n'auraient à craindre aucun guide de survie. Seulement, la vie ne va pas dans ce sens. Son foisonnement déborde les compartiments et sa nature consiste aussi à nous déranger sans cesse: l'expérience de l'immigration est à ce titre l'une des plus belles que l'on puisse faire quand, au bout de ses étonnements sur l'autre, on le découvre pareil à soi. Ce n'est pas l'immigration qui est le grand dérangement, c'est la vie. Ce n'est pas l'autre qui nous bouleverse, c'est encore la vie. Et c'est toujours celle-ci qui nous unit à tout ce qui vibre. Oui, en attendant que débarquent des extra-terrestres faisant enfin ressortir dans l'espèce humaine ce qui l'unit, le monde se porterait mieux si, plutôt que de parquer les uns à droite, les autres à gauche et l'autre en face, on se retrouvait tous sous le même soleil, et on se mélangeait.

Ugh.

BOTTIN DE SURVIE

L'EUROPE AU QUÉBEC

EN BELGIQUE

Association des Vétérans belges au Québec
Willy Limbourg   514-634 nonante cinq septante deux

Agence Québec Wallonie Bruxelles pour la Jeunesse
organise des stages à l'étranger (dans les deux sens)
des formations, etc.   www.aqwbj.org

Association Belgique-Canada
Attaché économique et commercial
pour la Région Wallonne – Bernard Falmagne   514-939-4049
Attaché économique et commercial
pour la Région de Bruxelles Capitale
Jean-Pierre Loucas   514-286-1581

Comité National Belge – Étienne Conrath   450-681-7050

Délégation de la Communauté française
et de la Région wallonne –Pierre Ansay   418-692-4148

Société belge de bienfaisance, *dépanne les Belges*
ou d'origine belge en difficultés – Nicole Arnould   450-681-7050

Union Francophone des Belges à l'étranger
Edgar Davignon   819-824-6940
Vlaamse Kring : Steve Stof   450-671-6330

EN FRANCE

Amicale Alsacienne du Québec – Jean Marc Bass   418-839-3937

Amicale des Anciens de la Légion
Étrangère de Montréal   450-424-2282

Association démocratique des Français à l'étranger
André-Jacques Delpech   418-877-2171

Association des Basques du Québec   514-323-6690

Amicale des Corses et des Amis des Corses   513-527-6663

Association des Étudiants Français au Canada   514-846-9814

Association France Canada   514-287-1583

Association France Québec   450-461-2183

Association Québec France (AQF)

L'objet de l'association est de faire connaître le Québec aux Français	418-643-1616 ou 1-877-236-5856
AQF – Baie des chaleurs	418-534-3540 ou 4139
AQF – Bas-Saint-Laurent	418-862-2052
AQF – Centre-du-Québec	819-478-4327
AQF – Chambly-Vallée du Richelieu	450-658-4887
AQF – Côte-du-sud	418-469-2220
AQF - Côtes-de-Gaspé	418-368-8100
AQF – Haute-Yamaska	450-372-0689
AQF – Lanaudière	450-7551552
AQF – Laval	450-621-4421
AQF – Le p'tit train du Nord	819-326-8561 ou 3522 # 229
AQF – Mauricie	819-536-0294 ou 514-537-5107 # 211
AQF – Montérégie	450-647-5764
AQF – Montréal	450-646-3026
AQF – Outaouais	819-246-0494 ou 991-6313
AQF – Porte des Laurentides	450-621-5992
AQF – Québec	418-622-4743
AQF – Saguenay – Lac-Saint-Jean	418-542-5220
AQF – Sept-Îles	418-968-6884
AQF – Sherbrooke	819-565-0536
Association des Occitans	514-766-1398
Association des Parents d'élèves de l'École française de Québec – Marin Letenneur	418-634-0427
Association des Universitaires Français de la Région de Québec – Michel Tailleux	418-687-9420
Association Ouvrière Les Compagnons Du Devoir Du Tour de France	514-933-0542
Chambre de Commerce française de Québec Maître François-Xavier Simard	418-681-7007
Fédération des Anciens Combattants Français de Montréal	450-688-0947
Société française du Québec	CP 9695 Sainte Foy, G1V 4C2

Maison des Français	418-849-4668
Union des Bretons du Canada – André Kervekka	514-990-1037
Union Française de Montréal	514-845-5195

L'Assemblée nationale française défend les Français expatriés grâce à cinq délégués élus qui représentent les Français établis au Québec et dans les provinces maritimes: il y en a de gauche, de droite, du centre, etc.:

UMP: Bernard Pelletier	514-282-4509
RFG: Brigitte Sauvage (à Longueuil)	450-677-4965
Du Président de la République Françoise Tétu de Labsade	418-527-3784

EN SUISSE

Chambre de Commerce Canado Suisse Jean-Marc Ferland	514-937-5822
Club de Lutte Suisse – Andreas Badat	819-363-2596
Club Suisse des Laurentides – Gérard Hermann	450-226-2218
Club de Tir Suisse de Montréal – Karl Diehl	514-696-3876
École complémentaire suisse de Montréal Philippe Winkler	514-272-1583
Montagne Singers –Eva Meyer	819-827-2329
Société Folklorique Suisse – Andreas Studhalter	819-358-9023
Swiss Canadian Benevolent Fund – Lena Perout	514-482-5644
Fédération des Sociétés Suisses de l'Est du Canada Rosemarie Thonney	450-467-7721
Swiss National Society –Karl Diehl	514-636-3195
Swiss Women's Club Edelweiss: *La responsable s'appelle Heidi: Heidi Haeni. Club d'aide et de solidarité envers les Suisses du Québec.*	450-247-2870
Société des Suisses de Québec –Gérard Philippin	418-656-2817

LE QUÉBEC EN EUROPE

EN FRANCE

**Commission canadienne du tourisme, c/o Ambassade du
Canada**: 35 avenue Montaigne, 75008 Paris   01-44-43-29-00

Service d'immigration du Québec
87-89 rue La Boétie, 75008 Paris   01-53-93-45-12

Délégation générale du Québec
66 rue Pergolèse, 75016 Paris   01-40-67-85-00

Office national du film Canada – Paris
5 rue de Constantine, 75007 Paris   33-1-44-18-35-40
ou à Montréal (paris@onf.ca)   514-283-9000

Radio-Canada (Société) Paris
17 avenue Matignon, 750008 Paris   33-1-44-21-15-01
ou à Montréal   514-597-6000

ASSOCIATIONS

Association France Québec (AFQ)
24 rue Modigliani, 75015 Paris,   01-45-54-35-37
à Québec (fq_secretariat@france-quebec.asso.fr)   418-643-1616
*Fondée en 1968, elle a pour but d'intéresser les Français au Québec
et favoriser l'amitié entre les peuples. Elle regroupe une soixantaine
d'associations régionales et plus de 6000 adhérents, et multiplie les
échanges de jeunes entre les deux pays.*

AFQ - Bordeaux
56 avenue Edmond Rostand, 33700 Merignac
bxgironde-quebec@voila.fr

AFQ - Bourgogne
28 bis rue du Général Leclerc, 71120 Charolles   33-3-85-24-10-88

AFQ – Calvados
Maison polyvalente, 1018 quartier du grand parc
14200 Herouville Saint-Clair cedex   33-2-31-39-23-09

AFQ – Champagne
C.I.S. Parc Léo Lagrange, rue Polonceau, 51100 Reims
champagne.quebec@caramail.com   33-3-26-40-51-78

AFQ - Côtes d'Azur-Pays cannois
28 rue Louis Blanc, 06400 Cannes
abltour-cannes@wanadoo.fr   33-4-93-38-75-50

AFQ – Paris
5 rue de la boule rouge,
75009 Paris, paris-quebec@wanadoo.fr   33-1-48-24-97-27

AFQ – Périgord
Leymonie, 24100 Creysse, mau.teulet@wanadoo.fr 33-5-53-57-42-02

AFQ - Pons-sud-Saint-Onge
Mairie – Place de la République, 17800 Pons
association.pons-ssge-quebec@laposte.net   33-5-46-96-40-85

AFQ - Saint-Malo
Maison du Québec, Place du Québec, 35400 Saint-Malo
maison.quebec@free.fr   33-2-99-56-34-32

Association Anjou-Québec   33-2-41-54-98-60

Association française d'études canadiennes (AFEC)
Maison des sciences de l'homme d'Aquitaine
10 Esplanade des Antilles, Domaine universitaire
33607 Pessac cedex   33-0-56-84-68-04

Association des Québécois en France   www.quebecfrance.info

Association des Étudiants Québécois en France
66 rue Pergolèse, 75116 Paris

Association Atoka Diffusion
Elle diffuse la culture amérindienne   www.atoka-diffusions.com
du Québec dans les Hautes Pyrénées.   06-09-47-48-55

COMMERCES ET RESTAURANTS

La Librairie du Québec
Un vrai coin de Québec en plein Paris, devenu peu à peu un centre culturel. Dites bonjour (allo) à Sylvain, il est super.
30 rue Gay Lussac, 75005 Paris.   01-43-54-49-02

The Abbey Bookshop (librairie du Canada)
29 rue de la Parcheminerie, 75005 Paris

L'Érablière   01-56-58-28-00
Commerce de produits de l'érable et artisanat
21 rue Garibaldi, 75015 Paris.

Passion Canada
Boutique représentative de la gastronomie québécoise, elle vend des bières, canneberges, bleuets, etc. Les propriétaires, Sandrine et Stephan Ducloux, ont deux boutiques et ils ont aussi deux cellulaires pour prendre rendez-vous: 06-12-26-73-92 (Sandrine) et 06-09-72-60-09 (Stephan) et un seul site Internet: www.passioncanada.com

L'Envol
Bar québécois
30 rue Lacépède, 75005 Paris   01-45-35-53-93

LIEUX

Brouage (Charente Maritime): monument Samuel de Champlain.
Il y est né. À l'intérieur de l'église, des vitraux décrivent l'histoire de la France et du Canada.

La Place du Québec (Paris, 6ᵉ arrondissement): *Elle comporte une étonnante sculpture à voir: l'Embâcle, de Charles Daudelin (né à Granby).*

Musée Jacques Cartier   02-99-40-97-73
Rue David Mac Donald Stewart, Saint Malo

Musée de l'Émigration percheronne au Canada (Tourouvre)
On estime que les descendants de ces émigrants du XVIIᵉ siècle sont aujourd'hui plus d'un million et demi au Canada. Le musée explique cette émigration, l'église l'illustre dans ses vitraux. Il faut d'abord téléphoner à la mairie pour visiter.   02-33-25-74-55

Le site d'un passionné: http://perso.wanadoo.fr/alain.perron

EN BELGIQUE

ORGANISMES OFFICIELS

Ambassade du Canada
Avenue de Tervueren, 1040 Bruxelles   02-741-06-11

Délégation générale du Québec
46 avenue des Arts, 7ᵉ étage, B, 1000 Bruxelles

Centre d'Études canadiennes à Bruxelles
Université libre de Bruxelles, CP 175/01,
50 avenue Franklin D. Roosevelt, B-1000 Bruxelles   32-2-650-3807

Centre d'Études interdisciplinaires Wallonie-Bruxelles
A/S Université du Québec à Montréal, CP 8888, succ Centre-ville,
Montréal, QC, H3C 3P8,
centre.wallonie-bruxelles@uqam.ca   514-987-3000 # 5683

EN SUISSE

ORGANISMES OFFICIELS

Ambassade du Canada
88 Kirchenfeldstrasse, 3005 Berne   31-357-32-00

Welcome to Canada
22 Freihfstrasse, 8700 Küsnacht   910-90-01

Chambre de commerce canado-suisse
1572 avenue du Docteur Penfielfd, Montréal H3G 1C4
info@cccsmtl.com   514-937-5822

EN ITALIE

Antenne du Québec
Via Nomentana 201, Interno 2, 00161 Roma

AIDE AUX PEUPLES MIGRATEURS

Ministère de l'Immigration	www.mrci.gouv.qc.ca
Professions réglementées	www.professions-quebec.org
Gouvernement du Québec	www.immigration-quebec.gouv.qc.ca/francais/index.html

Service des équivalences, Direction des équivalences et de l'administration des ententes de sécurité sociale, Immigration Québec
360 McGill, Montréal H2Y 2E9   equivalences@immq.gouv.qc.ca
514-873-5647

Centre d'information canadien sur les Diplômes Internationaux
252 Bloor O. Toronto M5S 1V5 (Ontario)   1-416 964-1777

Centre de coopération interuniversitaire franco-québécoise	http://ccifq.org
Douanes	www.ccra-adrc.gc.ca
Ordres professionnels et professions protégées	www.opq.gouv.qc.ca
Régie de l'assurance maladie	www.ramq.gouv.qc.ca
Régie du Logement	www.rdl.gouv.qc.ca
Hydro-Québec	www.hydroquebec.com
Gaz métropolitain	www.gazmet.com
Revenu Québec	www.revenu.gouv.qc.ca
Assurance auto et permis	www.saaq.gouv.qc.ca
Offre d'employeurs	www.guichetemplois.gc.ca

Office des migrations internationales : *cet organisme français prospecte au Québec, et aide ses ressortissants*   www.omi.social.fr
à trouver un emploi.   514-98-71756

Site de recrutement en ligne du Québec	www.jobboom.com
Répertoire des agences de placement	www.monemploi.com
Emplois spécialisés	www.cvthèque.com
Offres d'emplois généraux	www.voir.ca

À MONTRÉAL

Union Française: 429 Viger E., Montréal H2L 2N9   514-845-5195

Union Francophone des Belges à l'étranger   www.ufbe.be
514-485-1799

La Maisonnée
6865 avenue Christophe-Colomb, Montréal H2S 2H3   514-271-3533

Hirondelle, organisme d'aide aux nouveaux arrivants
4652 Jeanne-Mance, 2ᵉ étage, Montréal H2V 4J4   514-281-5696

Centre des femmes de Montréal
3585 Saint-Urbain, Montréal H2X 2N6   514-842-6652

Montréal Accueil c/o Consulat Général de France
1 Place Ville-Marie, bureau 2601, Montréal H3B 4S3   514-878-4385

Objectif Québec, *organisation privée créée par des Français installés à Montréal, réunion hebdomadaire entre francophones émigrants.*
BP 44616, CP Barclay, Montréal H3S 2W6   www.objectifquebec.org

CSAI (Centre social d'aide aux immigrants)
4285 boulevard de Maisonneuve O.,
Montréal H3Z 1K7   514-932-2953

Ministère des Communautés Culturelles *(c'est nous)*
415 Saint-Roch   514-864-9191

Société d'aide aux immigrants du Moyen-Orient du Canada
10025 de L'Acadie, Montréal   514-332-2210

Transit-Nations Service d'aide aux réfugiés et immigrants
3682 Fleury E., Montréal-Nord   514-325-5082

Centre d'accueil et de référence pour immigrants
1595 Ouimet, Saint-Laurent   514-748-6510

Collectif des femmes immigrantes
7124 Boyer, Montréal   514-279-4246

Cours de formation aux immigrants
4463-A Goya, Saint-Léonard   514-852-1011

Carrefour liaison et d'aide multiethnique
7290 Hutchinson, Bureau 200, Montréal   514-271-8207

Casa C.A.F.I. (centre d'aide aux familles immigrantes)
82 Saint-Joseph O., Montréal   514-844-3340

Jewish Immigrant Aid Services Of Canada
6900 Décarie, Montréal   514-342-9351

Défense et entraide aux familles immigrantes (DEFI)
815 Jean Talon E., Montréal   514-948-3678

**Centre d'accueil et de référence sociale et économique
pour immigrants**   www.cari.qc.ca
1179 Décarie, bureau 10, Saint-Laurent   514-748-2007

Centre d'appui aux communautés immigrantes
4915 Salaberry, Montréal   514-856-3511.

Service d'aide aux néo-Québécois & immigrants (SANQI)
3680 Jeanne Mance, Montréal – www.sanqui.qc.ca   514-842-6891

Centre juif d'orientation et de l'emploi (JVS)
5151 Côte-Sainte-Catherine, Montréal   514-735-3541.

Casa Cafi, Centre d'aide aux familles immigrantes
3680 Jeanne Mance, Montréal   514-844-3340

**Centre d'orientation paralégale et sociale
pour immigrants Inc.**
4893 Saint-Dominique, Montréal   514-843-6869

À QUÉBEC

**Service d'orientation et d'intégration pour immigrants
au travail de Québec (SOIIT)**   www.soiit.qc.ca
275 de l'Église, bureau 300, Québec   418-648-0822

Centre multiethnique de Québec (*aide à la recherche de logement*)
369, de la Couronne, 3ᵉ étage, Québec   418-687-9771

Centre international des femmes de Québec
(*aide aux femmes immigrantes*)
915 boulevard René-Lévesque O.,   www.cifqfemmes.qc.ca
bureau 110, Sillery   418-688-5530

**Maison d'hébergement pour
femmes immigrantes de Québec**   418-652-9761.

Le mieux-être des immigrants
890 Lévis, Québec   418-527-0177

**Service d'aide à l'adaptation des immigrantes
et immigrants (SAAI)**
318 de Saint-Vallier O., Québec   418-523-2058

Service et formation aux immigrants en Montérégie
3258 Grande Allée, Saint-Hubert   450-926-2550

Service d'aide aux néo-canadiens de Sherbrooke
535 Short, Sherbrooke   819-566-5373

Service d'accès au travail des Bois-Francs:
49 de Courval,
bureau 200, VictoriaVille G6P 4W6   819-758-296

Carrefour jeunesse emploi de l'Outaouais   www.cjeo.qc.ca
350 boulevard de Gappe, Gatineau   819-561-7712

Club de recherche d'emploi Mauricie / Bois-Francs Inc.
3675 boulevard Chanoine-Moreau
Trois-Rivières G8Y 5M6   819-370-3660

Centre ressources jeunesse de l'Abitibi-Témiscamingue
15 Perreaul E., Rouyn-Noranda J9X 3C1   819-762-0715

Regroupement interculturel de Drummondville
270 Lindsay, bureau 16, Drummondville J2B 1G3   819-472-8333.

Service d'intégration travail Outaouais   www.sito.qc.ca
4 Tachereau, bureau 400, Hull   819-776-2260

Solidarité ethnique régionale
de la Yamaska (SERY)   www.pourtravailler.qc.ca/sery

Programme de régionalisation de l'immigration
331 Principale, Granby J2G 2W3   450-777-7213

SITES DE PETITES ANNONCES

www.lespacs.com

www.adcliq.com

www.dejavu.ca

www.pourvendre.ca

www.montrealais.ca

http://quebec.domepac.com

www.vitrineq.com

www.toutmontreal.com

www.voir.ca

DIVERS

Taux de change	www.oanda.com
Comparer les frais bancaires	http://strategis.ic.gc.ca
Calculateur d'impôts en ligne	www.eycan.com
Vérifier l'état juridique d'une voiture à vendre	www.rdprm.gouv.qc.ca

Voir l'état de la circulation sur les routes principales du Québec
www.mtq.gouv.qc.ca/fr/information/cameras/index.asp

Connaître tous les prix de l'essence dans le Canada tout entier	www.mjervin.com

Associations des secondes épouses et conjoints www.asecq.com

SITES PERSONNELS ET BLOGS D'IMMIGRANTS EUROPÉENS

http://caribou.fute.free.fr

www.immigrer-contact.com

www.nouvelle-vie.com

www.vivreaquebec.com

http://residencepermanente.iciblog.com

http://aurelie-au-canada.over-blog.com

http://cabaneaucanada.over-blog.com

http://quebecois.canalblog.com

CULTURE, NATURE ET TOURISME

Dictionnaire biographique du Québec en ligne	www.biographi.ca
Bibliothèque Nationale du Québec	www.bnquebec.ca
Patrimoine canadien	www.pch.gc.ca
Guide des musées du Québec	www.smq.qc.ca/mad/guidemusees/index.php
Libertariens du Québec	www.quebecoislibre.org

NATURE

	www.nature.ca
	www.oiseauxduquebec.com
	www.oiseauxqc.org
	www.lesinsectesduquebec.com
	http://jpfilpoissons.iquebec.com
Faune et flore	www.bioclic.ca
Pourvoiries du Québec *Le réseau des pourvoiries regroupe 686 entreprises.*	www.fpq.com

TOURISME

Sites officiels www.bonjourquebec.com et www.tourisme.gouv.qc.ca	
	www.giteetaubergedupassant.com
Parcs et réserves	www.sepaq.com.
Tourisme d'aventure et d'exploration	www.ecoaventures.ca, www.authentikcanada.com www.aventure-ecotourisme.qc.ca
La vraie aventure du nord *(organisée par un Belge)* *avec chiens de traîneaux, cabanes rustiques,* *engelures et feux de bois*	www.attractionsboreales.com
Pour le dimanche	www.beauxvillages.qc.ca
L'hôtel le plus cher	www.hotellestjames.com
L'hôtel de glace	www.icehotel-canada.com

Un des plus beaux hôtels du Québec   www.sacacomie.com

Itinéraires touristiques à Montréal   www.madeinmtl.com

Quelques grands prix du tourisme 2005

B and B: Marquis de Montcalm
Sherbrooke   www.marquisdemontcalm.com

Hôtel: Spa Eastman, Cantons de l'est   www.spa-eastman.com

Pourvoirie: Mekoos, Mont-Laurier   www.mekoos.com

Restaurant: Derrière les fagots
Laval   www.derrierelesfagots.net

Attraction: Le théâtre en rivière
Mauricie   www.theatreenriviere.com

Camping: La Jolie Rochelle
Chaudière Appalaches   www.lajolierochelle.com

RESTAURANTS

Le meilleur restaurant du Canada selon la revue En route:
Garçon!, 112 Sherbrooke O., Montréal   514-843-4000

Meilleurs restaurants du Québec selon le CAA (5 Diamants):
Nuances, Casino de Montréal;
Restaurant du Casino de Hull   www.casino-du-lac-leamy.com
Hôtel et Restaurant (Cantons de l'Est)   www.aubergehatley.com

Des chroniques charmantes   www.lapingourmand.com

Par région
ABITIBI-TÉMISCAMINGUE

Amosphère: *un hôtel extrêmement confortable*
quand on revient d'expédition, à Amos.   www.amosphere.com

Parc national d'Aiguebelle: *il se situe au sein d'un réseau*
d'observation faunique en Abitibi.   www.afat.qc.ca/faunique

BAIE-JAMES

Auberge Mistissini Lodge: *ce luxueux hôtel se situe dans la réserve*
de Mistissini et comprend un restaurant dont le chef est français
(néanmoins, s'agissant d'une réserve sèche, l'alcool et le vin sont
proscrits). Une belle occasion de faire connaissance avec le concept
de réserve, et de manger du poisson congelé alors qu'il y en a des
millions bien frais dans ce lac exceptionnellement grand.

www.creetourism.ca

BAS-SAINT-LAURENT

Musée de la mer: *il présente l'histoire du paquebot Empress of Ireland de sa construction, en 1906, jusqu'à son naufrage, le 29 mai 1914. Cette catastrophe qui a fait 1 012 victimes est la plus grande tragédie maritime au Canada. Rimouski.* www.museedelamer.qc.ca.

Fromagerie des Basques: *on visite la fromagerie de Trois-Pistoles, ce qui permet notamment de voir comment on fabrique le fromage qui fait kwick kwick, frais du jour.* www.fromageriedesbasques.ca

CANTONS-DE-L'EST

Château Bromont – Domaine Hôtelier: *complexe hôtelier de grand luxe, comprenant Nintendo dans les chambres et hammam dans le couloir, à Bromont bien entendu.* www.chateaubromont.com

Spa Eastman: *les chambres se trouvent dans de petites maisons typées (chalet, maison canadienne, etc.). Dans l'Ermitage, situé un peu à l'écart, on s'éclaire à la lampe à huile et on se chauffe au bois. Le tout est évidemment encerclé de spas santé, saunas, tables de massage, masseurs, nutritionnistes, etc.* www.spa-eastman.com

CHARLEVOIX

Auberge des Falaises: *l'endroit est grandiose et le lieu est gastronomique. Filo de caille, omble chevalier rôtie sur peau à la tomate, gâteau de lièvre aux pruneaux, magret de canette à l'orange, côte de veau de Charlevoix, carré d'agneau, noix de ris de veau ou homard, avec vue sur le fleuve, immense.* www.aubergedesfalaises.com

Auberge du Ravage et Pourvoirie du Lac Moreau inc.: *une auberge de luxe au sein de la forêt nordique. On propose également aux visiteurs de dormir dans des camps de trappe situés en retrait.* www.lacmoreau.com

Katabatik: *organise près de la Malbaie des expéditions de trois à quatre jours en kayak de mer dans une des plus belles régions du monde, avec les paysages côtiers de la Réserve mondiale de la biosphère de Charlevoix, le panorama de l'astroblème, le Parc marin Saguenay-Saint-Laurent, l'odeur iodée, les caps rocheux, le campement sur les plages, la rencontre d'oiseaux et de mammifères marins - rorquals communs, petits rorquals, marsouins et phoques.* www.katabatik.ca

CHAUDIÈRE-APPALACHES

Le centre des migrations de Montmagny
www.centredesmigrations.com

Tourisme Amiante: *un site de tourisme industriel.*
www.tourisme-amiante.com

GASPÉSIE

Gîte La Conche Saint-Martin: *un tout petit gîte de deux chambres. Du balcon, on peut observer les oiseaux du lagon: outarde, oie blanche, héron, martin pêcheur, pygargue à tête blanche, canard noir, garrot de Barrow mâle, cormoran et butor d'Amérique.*
www.gitescanada.com/gitelaconchesaintmartin

Destination Chic-Chocs/Rivière Ste-Anne: *un des meilleurs endroits pour la pêche au saumon.* www.rivieresainteanne.com

LANAUDIÈRE

Auberge du Lac Taureau et ses forfaits
www.auberge.lactaureau.com

La Courgerie et les trouvailles de Potiron
une cultivatrice expose ses citrouilles. www.lacourgerie.com

LAURENTIDES

Tremblant Sunstar
un site industriel de tourisme www.tremblantsunstar.com

Aviation Wheelair: *excursions en hydravion au dessus des Laurentides.* www.hydravioncanada.com

LAVAL

Parc de la Rivière-des-Mille-Îles: *regroupe un ensemble de milieux naturels, plan d'eau, îles, marécages et berges, on y pagaie en été, on y patine en hiver. Une dizaine d'îles sont protégées à titre de refuges fauniques.* www.parc-mille-iles.qc.ca

LES BONNES ADRESSES

ANIMAUX

Kopper Kats 450-419-9692
On trouve des chats rares chez cette éleveuse d'abyssins, bleus de Russie et autres.

Centre vétérinaire DMV 514-855-5555
Ouvert 24 h/24. 2300 54e avenue, Lachine

Vet Mobile 514-895-0666
Soins à domicile.

AVOCAT

Jean-Pierre L'Olive 514-715-2112
Avocat français inscrit au Barreau du Québec jplolive@videotron.ca

BOUCHERIES

Adelard Belanger et fils 514-935-2439
Boucherie traditionnelle depuis de nombreuses années, et réputée pour ses steaks.
Marché Atwater

Boucherie de Paris 514-731-6615
Coupes à la française, cassoulet, bœuf bourguignon.
5216 avenue Gatineau, Montréal

La maison du rôti 514-521-2448
1969 Mont-Royal E., Montréal

La Maison Staner 450-883-5544
Charcuterie artisanale extrêmement réputée, boucherie et fromagerie propriété d'une famille belge depuis des générations.
856 route 343, Saint-Alphonse-Rodriguez

La ferme Bourgeois 450-258-2117
Canard, poulets et cailles nourris naturellement.
7161 route 158, Mirabel

CHOCOLAT BELGE

Chocolat Martine 819-622-0146
L'entreprise, unique en son genre dans la région,
compte 10 employés à temps plein et se spécialise
dans la production de chocolats belges, de pâtisseries,
de pains et de confitures.
5 Sainte-Anne, Ville-Marie (Abitibi-Témiscamingue)

O Douceur de la praline 418-692-1818
Pralines Leonidas et biscuits fins, pain d'épice,
couques au miel, chocolat en tablette, thé, café
(enfin du café belge!).
319 Saint-Paul, Québec

ÉLECTRICIENS, PLOMBIERS, ENTREPRENEURS

Lanciault Electrique 514-334-3779
Travail impeccable et honnête.

JM Construction 514-915-5224

Plomberie René Benoit 514-983-7777

ÉPICERIES

Épicerie J.A. Moisan 418-522-0685
La plus ancienne des épiceries fines
d'Amérique du Nord.
699 Saint-Jean, Québec

Épicière des Terroirs 450-778-3030
Vend des produits artisanaux de toutes les
régions du Québec.
1630 allée du marché, Saint-Hyacinthe

Houde & Cie 819-838-4202
Charmante épicerie de campagne.
1118 Main, Ayer's Cliff

Jardin de la Seigneurie 450-652-2735
311 de la Marine, Varennes

FLEURISTES

Florateria 514-288-4548
Ouvert jusqu'à 22 h.
90 des Pins O., Montréal.

La Boutique du Fleuriste 514-276-3056
1011 Bernard O., Montréal.

Vert Design   514-846-9556
Les plus belles fausses fleurs et plantes du Québec.
1604 Notre-Dame O., Montréal

ENTREPÔTS

À MONTRÉAL

Tristan America
Magasin entrepôt   514-904-1639
Marché Central. 999 du Marché Central, Montréal.
Magasin entrepôt   514-904-1641
1450 Mont-Royal E., Montréal

Le Château
Entrepôt   514-341-5301
5255 Jean-Talon O., Montréal

Bedo Inc   514-287-9204
4903 Saint-Laurent, Montréal

Aldo
Aldo Liquidation   514-728-696
3172 Masson, Montréal
Aldo Outlet   514-858-9870
Marché Central, Phase II, Montréal

Costco Wholesale   514-938-2657 et 514-933-9244
300 Bridge, Montréal

À QUÉBEC

Tristan America
Magasin entrepôt   418-877-2394
1459, Jules-Vernes, local G5, Sainte-Foy.
Magasin entrepôt   418-627-5400
Méga Centre Le Bourgneuf,
5700 des Gradins, local 300, Québec

Le Château Inc.
Entrepôt   418-692-3644
1015 Saint-Jean, Québec

Aldo
Aldo Outlet   418-628-9379
Mega-Centre Lebourgneuf, Quebec
Aldo Liquidation   418- 694-6209
1179 Saint-Jean, Québec

Costco Wholesale   418-627-5808
440 Bouvier, Québec

MAGASIN GÉNÉRAL

Marché Vaillancourt   450-226-2215
Comme dans les films, et depuis 1938.
878 Chemin du village, Morin Heights

MOBILIER

Maison Corbeil   514-382-1443
Vend notamment la ligne Roset.
1215 Cremazie O., Montréal

Stacaro   514-287-9800
*Le fondateur est français et la plupart des meubles
sont fabriqués en France.*
2035 Stanley, Montréal

NETTOYAGE, RÉPARATION

La Clinique de la Casserole   514-270-8544
Répare les vieilles poêles et casseroles.
7577 Saint-Hubert, Montréal

La Maison de l'Aspirateur   514-273-2821
Réparation et vente
5860 Saint-Laurent, Montréal

Monsieur Fix-It   514-484-8332
Répare absolument tout.
4652 Décarie, Montréal

ORDINATEURS

Microserv   514-636-5127 ou 1-800-609-7376
                                       www.microserv.ca

POISSONNERIES

Le Chasse-Marée   514-481-3323
*Homards des îles de la Madelaine,
mousses de saumon, etc.*
5611 Monkland, Montréal

Poissonnerie Nouveau Falero   514-274-5541
5726 Parc, Montréal.

REPAS LIVRÉS À DOMICILE

Couscous Kamela   514-274-5541
Très bon couscous, portions très généreuses.

Pizza Amelio's   514-845-8396
Parmi les meilleures de Montréal.
201 Milton, Montréal

TRAITEURS

La Pâtisserie Belge   514-845-1245
3485 Parc, Montréal

RESTAURANTS BELGES ET SUISSES

L'Actuel   514-866-1537
Cuisine belge.
1194 Peel, Montréal

Witloof   514-281-0100
Cuisine belge, cuisine française.
3619 Saint-Denis, Montréal

Restaurant Alpenhaus   514-935-2285
Cuisine suisse.
279 Saint-Marc, Montréal

La Raclette   514-524-8118
Cuisine suisse, cuisine européenne.
1059 Gilford, Montréal

Restaurant Môss Bistro Belge   418-692-0233
Moules et chocolat belge.
255 Saint-Paul, Québec

Douceurs Belges, Manoir champêtre   418-871-1126
Cuisine belge, cuisine régionale.   ou 1-800-363-7480
4335 Michelet, Québec

Au Café Suisse   418-694-9485
Fondues / raclettes, grillades, fruits de mer.
24 Sainte-Anne, Québec

L'Eureye   450-229-9555
*Spécialités faites entièrement maison, telles que les croquettes
aux crevettes grises de la Mer du nord, les moules au beurre d'ail,
leur inimitable soupe de poisson, les boulets comme à Liège et
leurs frites belges.*
814 chemin Pierre-Péladeau, Sainte-Adèle

L'Héritage   450-226-2218
Cuisine suisse.
11 Baker, Morin-Heights

Au Mazot Suisse 450-229-5600
Cuisine suisse.
5320 route 117 Sud, Val-Morin

La Cabosse d'or chocolaterie belge 450-464-6937
973, chemin Ozias Leduc, Otterburn Park

Restaurant le Sans-Pareil 819-771-1471
71 boulevard Saint-Raymond, Gatineau

Le Chou de Bruxelles 819-564-1848
Cuisine belge.
1461 Galt Ouest, Sherbrooke

COURS PRIVÉS	
La danse africaine	514-270-6914
La salsa	514-996-0989
Le tango argentin	514-405-8645
L'espagnol	514-523-2908
Le brésilien	514-374-5925
Les marionnettes	514-777-7029
Le strip-tease	514-248-0212
Le tricot	514-728-6143
À gérer son temps	819-371-9689
À écrire des chansons	514-567-8208
Le yoga	514-279-3545
Le tam-tam	514-273-7856
À préparer du thé	418-695-5354
La peinture	450-647-1045
Le trapèze	514-273-1552
À parler en public	514-737-3381
Le tatouage et le maquillage au Airbrush	450-638-0674
À séduire les femmes	514-277-6262
À danser le swing	514-285-4594
L'équitation	418-871-0150
La technique Alexander	514-577-7272
L'orientation en forêt	418-439-4132
La confection de chapeaux	514-279-8856
La pose des ongles	450-378-1188
La lecture rapide	514-484-9962
La préparation du thé	418-695-5354
À piloter une Formule 1	819-425-8383

Ils peuvent vous aider

Association des dépressifs et des maniacodépressifs
*En voie de fusion avec l'Association des professionnels
de l'industrie de l'humour.* 514-529-5619

Union des Artistes 514-288-6682
418-523-0168

A-asso-association des bègues du Canada 514-524-8657
1-877-353-2042

Association de suicidologie
Il n'y a jamais personne qui répond au téléphone, c'est bizarre.

Association des parents d'enfants prématurés du Québec
Téléphoner avant 5 heures du matin.

Association québécoise des personnes de petite taille 514-521-9671

**Association des Pères Noël
de la province de Québec** 514-526-2847

Association des Sceptiques du Québec
Je ne suis moi-même pas sûr de leur adresse.

Coalition sida des sourds du Québec
Vraiment pas de bol. 514-521-1780

**Comité québécois pour la reconnaissance
des droits des travailleurs haïtiens en
République Dominicaine**
Les appeler en Belgique.

**Fédération québécoise des professeures & professeurs
d'Université**
Chercher le numéro dans la nuaire.

Association des troubles anxieux du Québec
N'y allez que si vous avez peur d'y aller. www.ataq.org

Fondation canadienne des Rêves d'enfants
Réalise des rêves d'enfants. 514-289-1777

**Association des popotes roulantes
Montréal Métropolitain** 514 -937-4798

Cocaïnomanes anonymes 514-527-9999

Centre du ronflement 514-327-5060

Outremangeurs anonymes
Téléphoner aux heures des repas. 514-490-1939

SOS Violence conjugale
Si elle n'a pas cassé le téléphone. 1-800-363-9010

Société québécoise de la schizophrénie	514-251-4000
Il y a deux numéros évidemment.	1-866-888-2323
Conseil québécois du loisir (CQL)	
Allo, je m'emmerde.	514-252-3132
Association québécoise de loisir	
pour personnes handicapées	514-252-8360
Tourisme pour personnes handicapées	
Kéroul	514-252-3144
Association des douze étages	
pour vaincre l'agoraphobie	418-861-9152
Union nationale des constructeurs d'ascenseur	
Aucun rapport avec la précédente évidemment.	418-624-2942

15 problèmes résolus

1. Pharmacie ouverte 24h/24 à Montréal	514-527-8827
	514-738-8464
2. Urgences dentaires à Montréal	514-937-6011 # 2462
3. Ambulances	911
4. Perte de carte d'assurance maladie	514-884-3411
	418-646-4636
5. Perte de permis de conduire	514-873-7620
	418-624-0708
6. Ne plus payer les appels internationaux	
	charger www.skype.com
7. Faire homologuer son testament	
Palais de Justice	
à Montréal	514-393-2721
à Québec	418-649-3506
8. Savoir s'il y aura des moustiques	
Bulletin Moustiques	www.meteomedia.com
9. Savoir où vous en êtes	
avec vos tickets (PV)	514-872-2964
10. Trouver le numéro de téléphone des objets	
trouvés à Montréal	514-636-0499
11. Et à Québec	418-640-2600
12. Appeler l'aéroport de Dorval	514-394-7377
13. Recevoir les prévisions météo sur son cellulaire	
	taper carré 63836
14. Ministère des Relations avec les citoyens	
et de l'Immigration	1-888-643-1435
15. Appeler gratuitement	
une cabane à sucre	1-877-876-2376

OUVRAGES CONSULTÉS ET BIBLIOGRAPHIE

L'Annuaire du Québec 2005, Fides, 2005.

Cap sur le Québec, hors-série de *l'Express*, mai-juin 2005.

Encyclopédie du Canada, Stanké, 2000.

Le Québec 2001-2002, Les Guides de voyage Ulysse, 2001.

Montréal, le guide Autrement (Édition 1998-1999).

Explorez Montréal avec vos enfants, Guide Petit Fouineur.

Québec, Guides Bleus.

Le Québec autochtone, Éditions de la Griffe d'Aigle, 1996.

Au Québec, Guide Visa, Hachette.

Québec, Guide bleu Évasion, Hachette.

Montréal et la Ville de Québec, Guide de voyage Frommer's.

Québec, Guide Gallimard.

Québec & Provinces maritimes, Guide du Routard.

Le Québec et l'Est canadien, Guides Jika.

Les Arbres du Québec, Les Publications du Québec, 2000.

AÏVANHOV M. *L'Alchimie spirituelle*, Prosveta.

ALLAIRE B., *Pelleteries, manchons et chapeaux de castor*, Septentrion-Presses de l'Université de Paris Sorbonne, 1999.

AUBIN S., LACHARITÉ V., *Je connais Montréal*, Les Intouchables, 2002.

BARONNET R., BOUCHARD C., *Côtes du Nord*, Les publications du Québec, 2005.

BOUDREAULT M., *Guide pratique des plantes médicinales du Québec*, Éditions Le Patrimoine, 1979.

BOUCHARD C. *Vers la Mer*, Les publications du Québec, 2003.

BOUCHARD C., *Par Monts et par Vaux*, Les publications du Québec, 2004.

BOUCHARD S., *Chroniques de chasse d'un Montagnais de Mingan, Mathieu Mestokosho*, Gouvernement du Québec, Ministère des Affaires culturelles, 1977.

BUREAU L., *Pays et Mensonges. Le Québec sous la plume d'écrivains et de penseurs étrangers*, Boréal, 1999.

CHATEAUBRIAND F-R, *Voyage en Amérique*.

COTE L., TARDIVEL L., VAUGEOIS D., *L'Indien Généreux, Ce que le monde doit aux Amériques*, Boréal, 1992.

DEMERS A., *Plaisirs d'été pas chers*, Trécarré, 2001.

DICKINSON A., YOUNG B., *Brève histoire socio-économique du Québec*, Septentrion, 2003.

DUMAS A., OUELLET Y. *Anticosti, l'éden apprivoisé*, Éditions Trécarré, 2002.

DUMONT F., *Genèse de la société québécoise*, Boréal, 1993.

DUPAYS J., *Abécédaire québécois*, Boréal, 1988.

FLANAGAN T., *Premières Nations? Seconds Regards*, Septentrion, 2000.

FONTAINE N., *Maudits Français*, Éditions de l'Homme, 1964.

FORIN D'ARGENSON M.-M., *L'Homme d'Anticosti*, Fides, 1997.

FRANCIS D., MORANTZ T., *La Traite des Fourrures dans l'Est de la Baie James*, Presses de l'Université du Québec, 1984.

FRASER R., *Baie James: le Guide touristique*, VLB, 1995.

FRÉMONT D. *Les Français dans l'Ouest canadien*, Les Éditions du Blé, Saint-Boniface (Manitoba) 3ᵉ édition, 2002.

GALARNEAU C., *La France devant l'opinion canadienne (1760-1815),* Les Presses de l'Université Laval, 1970.

HAVARD G., *Empire et métissages, Indiens et Français dans le Pays d'en Haut*, 1660-1715, Septentrion, Presses de l'Université de Paris-Sorbonne, 2003.

ISSERMAN J., *À la découverte du Montréal multiethnique*, Éditions La Presse, 1988.

JACQUIN P., *Les Indiens Blancs, Français et Indiens en Amérique du Nord (XVᵉ-XVᵉ siècle)*, Libre Expression, 1996.

KRECH S., *The Ecological Indian: Myth and History*, W.W. Norton & Co, 1999

LACASSE R., *Baie James, l'extraordinaire aventure des derniers pionniers canadiens*, Presses de la Cité, 1985.

LEJEUNE L., *Époque des Menier à Anticosti*, 1895-1926, Éditions JML, 1987.

LEJEUNE L., *Villa Menier en images*, Les Éditions de Mortagne, 1986.

LION V., *Irréductibles Québécois*, Éditions des Syrtes, 2004.

MARREY B., *Un capitalisme idéal*, Clancier-Guénaud, 1984.

MATHIEU J., *La Nouvelle-France. Les Français en Amérique du Nord, XVIᵉ- XVIIIᵉ siècles*, Les Presses Universitaires de Laval, 2001.

MONARQUE G., *Un Général Allemand en Canada: le baron FrieGrich Adolphus von Riedesel*, Éditions Édouard Garand, 1927.

MONTBARBUT J., *La toponymie française des États-Unis d'Amérique*, Éditions Pierre Tisseyre, 2000.

MONTIN L. R., *Escapades d'un jour*, S.D.F., 1997.

NADEAU J-B., *Les Français aussi ont un accent*, Payot, 2002.

NADEAU L., *S'installer au Québec*, L'Express Éditions, 2003.

PERROT P., *Le travail des apparences, le corps féminin*, Points, Seuil, 1984.

POMERLEAU J., *Gens de métiers et d'aventures*, Les Éditions GID, 2001.

PONTING C., *Le viol de la Terre*, Nil éditions, 2000.

PROVENCHER P., *Vivre en forêt*, Les Éditions de l'Homme, 1973.

REVEL J.-F., *La sensibilité gastronomique de l'Antiquité à nos jours*, J.J. Pauvert, 1985.

RIOUX M., *Les Québécois,* Éditions du Seuil, 1974.

SAGUÈS C., de GRANDMONT N., *Le Québec par l'autre bout de la lorgnette*, PUL IG, 1997.

SAVARD R., PROULX J.-R., *Canada, derrière l'épopée, les autochtones*, L'hexagone, Montréal, 1982.

SOUCY M., *101 autres idées vacances au Québec et dans les Maritimes*, Trécarré 2001.

TARDIF J., *La route gourmande d'un Français au Québec*, Anne Sigier, 2000.

TRIGGER B., *Les enfants d'Aataentsic, l'histoire du peuple huron*, Libre Expression, 1991.

TRIGGER B., *Les Indiens, la fourrure et les Blancs*, Boréal, 1990.

VIALA A., *Naissance de l'écrivain*, Éditions de Minuit, 1985.

VISSER J. de, *Le Sentier transcanadien*, The Boston Mills Press, 2000.

VOLTAIRE, *Essai sur les mœurs et l'esprit des nations*.

WITTENBORN H. *Nunavik, Québec arctique*, Les publications du Québec, 2003.

Ne cherchez plus !

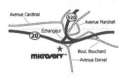

Ce livre n'a malheureusement pas pu être imprimé
sur papier recyclable en raison du prix trop élevé de ce matériau.

La police de caractères utilisée pour le texte courant est le Cartier Book,
un caractère typiquement canadien créé en 1967 par Carl Dair.

Achevé d'imprimer : Transcontinental
Décembre 2005